vieilles recettes de nos villages

TARTES
et
TOURTES

salées et sucrées

Charlotte CORTINOVIS

Josiane SYREN

La coordination de cette collection est assurée par Paulette Fischer.

EDITIONS S.A.E.P. INGERSHEIM 68000 COLMAR

Photo J.L. Syren

Les tartes ont toujours fasciné les grands et les petits, tant par leur fabrication que par leur réussite.

En effet, quel est l'enfant qui ne garde pas, en souvenir, ces moments où, voulant imiter maman, il a mendié un peu de farine et un morceau de pâte, et, par le jeu du rouleau à pâtisserie, a confectionné « son » gâteau, puis impatient, guetté à la sortie du four « sa » tarte dorée à souhait...

Outre les merveilleuses tartes aux fruits, colorées au rythme des saisons, décorées selon mille et une façons, au gré des fantaisies de la cuisinière, il y a aussi ces tartes salées, au fromage ou aux légumes, au poisson ou à la viande qui constituent selon les circonstances une entrée ou un plat complet.

Tartes ou tourtes, raffinées ou rustiques, satisferont les palais les plus exigeants. Et qu'elles soient au fromage ou au saumon, composées d'épinards ou de viande, les tartes salées réjouiront toujours une tablée de convives...

Les recettes de tartes et de tourtes sont innombrables et avec des variantes selon les régions, leurs coutumes et leurs ressources. Le choix que nous vous proposons dans ce livre n'est pas exhaustif ; mais sucrées ou salées, les recettes sélectionnées vous permettront d'étonner et de ravir vos invités. Vous trouverez dans les pages qui suivent une foule d'idées originales - au détriment peut-être des plus simples, mais si connues - qui vous donneront l'occasion d'exercer vos talents de cuisinière et de cuisinier...

J. S.

...au fromage,

Tarte au camembert

Préparation et cuisson : 50 minutes.

300 g. de pâte brisée / 1 camembert / 3 œufs / 25 cl. de crème / Sel.

Garnir une tourtière avec la pâte.
Couper finement le camembert, le répartir sur le fond de tarte.
Mélanger les œufs et la crème, saler et verser sur le fromage.
Faire cuire à four chaud 35 minutes.

Tourte au cantal

Préparation et cuisson : 1 heure 25 minutes.

350 g. de pâte brisée / 4 œufs / 250 g. de cantal frais / 3 dl. de sauce béchamel / 2 dl. de crème.

Faire la sauce béchamel et y ajouter 3 œufs battus avec la crème.
Foncer une tourtière avec la moitié de la pâte. Répartir le cantal coupé en fines lamelles, le couvrir avec la sauce. Etendre le reste de pâte et en couvrir la préparation. Faire une petite cheminée avec un morceau de bristol roulé.
Dorer au jaune d'œuf dilué avec de l'eau.
Faire cuire 40 minutes à four chaud.

Quiche au cantal

Préparation et cuisson : 1 heure.

300 g. de pâte brisée / 250 g. de tranches fines de lard / 150 g. de cantal / 1,5 dl. de lait / 2 dl. de crème / 50 g. de farine / 4 œufs / Sel, poivre, noix de muscade.

Dans un bol, battre les œufs, la farine, ajouter peu à peu le lait et la crème. Assaisonner.
Etendre la pâte et en garnir un moule à tarte.
Faire rissoler les tranches de lard et en garnir le fond de pâte. Y répartir 100 g. de cantal en lamelles. Verser la préparation aux œufs sur la tarte. Saupoudrer du reste de cantal râpé.
Faire cuire à four chaud 30 minutes.

Tourte aux fromages

Préparation et cuisson : 1 heure 15 minutes.

400 g. de pâte feuilletée / Restes de gruyère, comté, reblochon... / 150 g. de lard ou de jambon / 2 pommes de terre / 3 oignons / 2 œufs / 2 dl. de lait / Paprika, muscade / 1 œuf pour dorer.

Abaisser les 2/3 de la pâte, foncer un moule et humidifier le bord de la pâte. Y disposer les oignons coupés en julienne, les fromages, le lard en lamelles et les pommes de terre en fines rondelles. Verser dessus les œufs battus avec le lait. Assaisonner.

Abaisser le reste de pâte et former un couvercle pour recouvrir la tourte. Souder les bords.

Badigeonner au jaune d'œuf et décorer avec des motifs en pâte.

Faire cuire à four chaud pendant 40 minutes.

Tarte franc-comtoise

Préparation et cuisson : 55 minutes.

300 g. de pâte brisée / 200 g. de comté râpé.
Goumeau : *2 dl. de lait / 3 œufs / 1 dl. de crème / Noix de muscade, sel, poivre.*

Etendre la pâte, en garnir un moule à tarte et y répartir le comté.
Battre les œufs avec le lait, la crème, assaisonner.
Verser sur le fromage.
Mettre à four chaud 35 minutes.

Tartelettes au gouda

Préparation et cuisson : 1 heure 05 minutes.

200 g. de pâte brisée / 150 g. de gouda / 150 g. de jambon / 1 boîte moyenne de champignons / 1 oignon / 3 dl. de lait / 3 cuillerées à soupe de farine / 60 g. de beurre / 1 citron / Sel, poivre / Muscade / Paprika.

Abaisser la pâte brisée. En foncer 6 moules à tartelette et faire cuire à blanc pendant 20 minutes.
Faire fondre 20 g. de beurre dans une poêle, y faire blondir l'oignon émincé et les champignons coupés en lamelles.
Faire fondre le reste de beurre, ajouter la farine et mouiller avec le lait. Laisser bien épaissir. Saler, poivrer, ajouter la noix de muscade et la moitié d'un jus de citron puis mélanger avec les champignons, le jambon coupé en dés et la moitié du gouda râpé.
Remplir les tartelettes de cette préparation. Recouvrir de lamelles de gouda. Saupoudrer de paprika.
Mettre à four moyen pendant 10 à 15 minutes. Servir chaud.

Tarte persillée au fromage

Préparation et cuisson : 45 minutes.

250 g. de pâte feuilletée / 250 g. de gruyère / 2 œufs / 75 g. de crème / 75 g. de persil haché / Sel, poivre.

Etendre la pâte et la faire cuire à blanc 10 minutes à four moyen.
Râper le gruyère et le mélanger avec les œufs, la crème, le persil. Saler, poivrer.
Etendre cette préparation sur la pâte et la faire cuire à four moyen 30 minutes.

Pour varier on peut remplacer le gruyère par 125 g. de comté et 125 g. de Saint-Nectaire et ajouter 100 g. de lard en petits dés.

Flamiche au maroilles

Préparation et cuisson : 1 heure 15 minutes.

250 g. de farine / 100 g. de saindoux ou margarine / 1 œuf / Sel / 1/4 de maroilles / 1 dl. de bière brune / 2 dl. de crème fraîche / 2 œufs / Sel, poivre.

Pétrir la farine avec le saindoux, l'œuf, du sel et un peu d'eau. Laisser reposer la pâte.

Gratter le maroilles et le malaxer avec la bière, la crème, les œufs, le poivre, le sel (si nécessaire).

Etaler la pâte, en garnir un moule à tarte et y verser la préparation.

Faire cuire à four chaud 30 minutes environ.

Tarte au Saint-Nectaire

Préparation et cuisson : 1 heure.

300 g. de pâte brisée / 250 g. de Saint-Nectaire gras / 6 petites tomates / Sel, poivre, herbes de Provence / 1 cuillerée d'huile d'olive.

Etendre la pâte, en garnir un moule à tarte et la recouvrir du Saint-Nectaire coupé en lamelles.

Ebouillanter et peler les tomates, les couper en rondelles en les épépinant. Les poser sur le fromage. Assaisonner et arroser avec l'huile.

Faire cuire 30 minutes à four chaud.

Tartelettes au roquefort

Préparation et cuisson : 40 minutes.

250 g. de pâte feuilletée / 150 g. de roquefort / 250 g. de fromage blanc / 3 œufs / 1 dl. de crème fraîche / 1 cuillerée d'huile d'olive / Sel, poivre.

Avec la pâte, foncer de petits moules à tartelettes et les faire cuire à blanc pendant 15 minutes.

Ecraser le roquefort, le mélanger avec le fromage frais, la crème, les œufs battus, l'huile. Saler et poivrer.

Remplir les tartelettes de la préparation et remettre 15 minutes à four chaud pour finir la cuisson.

Les tartelettes au gouda. (Photo J.L. Syren)

Photo J.L. Syren/S.A.E.P.

Tarte flambée gratinée

Préparation et cuisson : 30 minutes.

200 g. de pâte à pain / 1 oignon / 10 cl. de fromage blanc / 10 cl. de crème épaisse / 25 g. de très fins lardons / 1 cuillerée d'huile / 50 g. de gruyère râpé / Sel, poivre.

Etaler la pâte très finement et la poser sur une grande plaque rectangulaire. Répartir l'oignon pelé et émincé en fines rondelles et les lardons. Saupoudrer de gruyère.

Mélanger la crème, le fromage blanc et assaisonner. En napper la tarte. Arroser avec l'huile.

Mettre 10 minutes à four très chaud.

Le gruyère râpé est facultatif.

Cette tarte se cuisait dans le four à pain. Elle était placée, pour la confection, sur la pelle à pain et glissée directement sur la sole du four en brique réfractaire.

... aux crustacés, au poisson,

Pizza aux moules

Préparation et cuisson : 1 heure 35 minutes.

250 g. de pâte brisée / 1 kg. de petites moules / 6 échalotes / 1 dl. de vin blanc / Quelques branches de persil / 5 tomates / Thym / 2 gousses d'ail / 2 œufs / 20 cl. de crème légère / 100 g. de gruyère râpé / 2 cuillerées d'huile / Sel, poivre.

Avec la pâte, foncer un moule à tarte.
Laver et gratter soigneusement les moules. Les faire ouvrir à feu doux avec 3 échalotes hachées, un peu de thym, de persil haché et le vin. Les décortiquer.
Ebouillanter les tomates quelques minutes, les peler, les épépiner, les couper en morceaux.
Faire blondir le reste d'échalotes hachées dans l'huile, ajouter la tomate, l'ail pelé et haché, du thym, du persil. Saler, poivrer.
Laisser mijoter jusqu'à complète réduction du jus.
Battre les œufs, la crème, saler, poivrer.
Répartir les moules sur le fond de tarte, couvrir avec la sauce tomate, saupoudrer du gruyère, napper avec la préparation aux œufs.
Faire cuire 35 minutes à four moyen.

Tarte du pêcheur

Préparation et cuisson : 1 heure 25 minutes.

300 g. de pâte feuilletée / 1,5 kg. de moules / 200 g. de crevettes / 200 g. de fromage blanc / 3 œufs / 1 cuillerée à soupe de ciboulette / 2 cuillerées à soupe de persil haché / Sel, poivre.

Laver et nettoyer les moules. Les faire ouvrir sur feu vif. Oter les coquilles, recueillir le jus et le filtrer.
Etendre la pâte, y disposer les moules et les crevettes.
Battre les œufs, y ajouter le fromage blanc, le persil, la ciboulette, le sel, le poivre et 1/2 verre de jus des moules.
Verser le tout sur la tarte et cuire à four chaud 40 minutes.

Barquettes de crabe

Préparation et cuisson : 45 minutes.

20 petites barquettes en pâte brisée / 2 boîtes de crabe / 200 g. de petits pois écossés frais / 100 g. de poivron rouge en boîte / Laitue.
Mayonnaise : *1 jaune d'œuf / 2 dl. d'huile / 1 cuillerée de vinaigre / Sel, poivre / Curry.*

Faire cuire les petits pois à l'eau bouillante salée, sans couvrir pour qu'ils restent verts. Couper 20 lanières fines de poivron, le reste en petits morceaux.
Faire la mayonnaise.
Effiler la chair de crabe, égoutter les petits pois, les laisser refroidir et les mélanger à la mayonnaise avec les dés de poivron.
Remplir chaque barquette avec la préparation, saupoudrer de curry et garnir avec une lanière de poivron.

Tarte aux filets de merlan

Préparation et cuisson : 1 heure 10 minutes.

250 g. de pâte brisée / 500 g. de pommes de terre / 500 g. de filets de merlan / 1 cuillerée de fines herbes hachées / 1 dl. de crème / 1 cuillerée d'huile / 40 g. de beurre / 50 g. de comté râpé / Sel, poivre.

Faire blanchir 10 minutes à l'eau bouillante salée les pommes de terre pelées, lavées et coupées en rondelles. Les égoutter.
Faire dorer sur les deux faces les filets de poisson.
Foncer un moule à tarte avec la pâte. Y disposer la moitié des pommes de terre, les filets de merlan, puis le reste des pommes de terre ; arroser avec la crème mélangée aux fines herbes, salée et poivrée.
Saupoudrer du gruyère râpé et de noisettes de beurre.
Enfourner pour 35 minutes à four chaud.

On peut remplacer les filets de merlan par de la morue dessalée et juste pochée.

La tarte aux filets de merlan. (Photo J.L. Syren)

La tarte au saumon fumé. (Photo P. Fischer)

La tourte de saumon. (Photo J.L. Syren/S.A.E.P.)

Tarte au saumon fumé

Préparation et cuisson : 45 minutes.

250 g. de pâte brisée / 6 tranches de saumon fumé / 100 g. de gruyère râpé / 25 cl. de crème / 3 œufs / Sel, poivre, noix de muscade.

Foncer un moule à tarte avec la pâte.
Y ranger en étoile les tranches de saumon.
Saupoudrer du gruyère.
Battre les œufs avec la crème, assaisonner.
Verser sur la tarte.
Faire cuire 30 minutes à four moyen.

Tourte de saumon

Préparation et cuisson : 3 heures.

Pâte brisée / 2 filets de saumon frais.
Marinade : *2 cuillerées à soupe d'huile d'olive / 1/2 jus de citron / Thym / Laurier / Cerfeuil / Estragon / Sel, poivre.*
Farce : *300 g. de chair de saumon / 300 g. de beurre / 150 g. de mousserons / 1 dl. de crème fraîche / Thym / Laurier / Sel, poivre.*
Sauce : *100 g. de beurre / Jus de citron / Cerfeuil / Estragon / Sel, poivre.*

Mélanger les éléments de la marinade et y faire macérer les filets de saumon pendant 2 heures.

Faire revenir les champignons hachés dans un peu de beurre.

Piler la chair de saumon avec le beurre, les champignons, la crème, assaisonner et malaxer pour obtenir une farce homogène.

Etendre la pâte en rectangle.

Sur une moitié, étendre le tiers de la farce, couvrir avec un filet de saumon, alterner farce, filet et farce. Mouiller le bord de la pâte et couvrir avec la deuxième moitié de pâte. Souder les bords et badigeonner au jaune d'œuf dilué d'un peu d'eau.

Faire deux cheminées en carton pour évacuer la vapeur lors de la cuisson, 45 minutes à four moyen.

Faire fondre le beurre, ajouter un peu de jus de citron, cerfeuil et estragon hachés, sel et poivre.

Servir en accompagnement de la tourte chaude.

...à la viande,

Tartes au lard

Préparation et cuisson : 1 heure.

250 g. de farine / 10 g. de levure de boulanger / 2 œufs / 75 g. de beurre / Sel / Cumin / 250 g. de lard de poitrine fumée / Environ 1 dl. de lait ou d'eau / 1 cuillerée d'huile.

Mélanger la farine, les œufs, le beurre ramolli, le sel, la levure dissoute dans le lait tiédi jusqu'à obtenir une pâte souple. Laisser doubler de volume.

La rassembler, l'étendre à 2 cm d'épaisseur et en foncer un moule à tarte. Saupoudrer de graines de cumin, de lardons, arroser d'un peu d'huile. Dessiner un quadrillage avec une pointe de couteau.

Laisser lever au chaud 15 minutes.

Faire cuire à four chaud jusqu'à coloration dorée.

Préparation et cuisson : 55 minutes.

250 g. de pâte brisée / 150 g. de lard / 100 g. de gruyère / 1 oignon / 2 œufs / 1 dl. de crème / 1 cuillerée à soupe de cumin.

Foncer un moule à tarte avec la pâte.

Y répartir le lard coupé en petits dés, le gruyère en lamelles, l'oignon émincé.

Battre les œufs, la crème, ajouter le cumin. Verser cette garniture sur la tarte. Décorer avec des croisillons de pâte.

Faire cuire à four chaud 35 minutes.

Quiche lorraine

Préparation et cuisson : 45 minutes.

250 g. de pâte brisée / 2 verres de crème fraîche / 150 g. de lard / 2 œufs / Sel, poivre.

Etendre la pâte, garnir un moule.

Répartir les petits lardons sur la pâte.

Mélanger la crème et les œufs. Saler, poivrer.

Verser cette préparation sur le fond de tarte et mettre à four chaud 30 minutes,

Barquettes au pâté de foie

Préparation et cuisson : 25 minutes.

15 barquettes en pâte brisée / 500 g. de pâté de foie / 1 dl. de crème fraîche / 5 cl. de cognac / Poivre, muscade / Quelques cornichons.

Malaxer le pâté en y ajoutant peu à peu la crème, le cognac, pour obtenir un mélange homogène. Assaisonner.

Mettre un demi-cornichon dans le fond de chaque barquette, puis avec une douille cannelée, les garnir de pâté. Décorer avec une lanière de cornichon.

Tourte à la viande

Préparation et cuisson : 1 heure 15 minutes.

350 g. de pâte brisée / 600 g. de viande cuite hachée / 100 g. de petits lardons / 1 oignon / 10 g. de persil / 10 g. de farine / 1 verre de vin blanc / 1 œuf / 1 cuillerée d'huile / Sel, poivre / 1 jaune d'œuf pour dorer.

Etendre la moitié de la pâte, en garnir un moule et mouiller le tour.

Faire revenir l'oignon épluché et émincé dans l'huile, ajouter la viande, les lardons, le persil haché, le vin, saupoudrer de la farine, saler, poivrer. Bien mélanger.

Hors du feu, ajouter l'œuf.

Verser cette préparation sur le fond de tarte.

Etendre le reste de pâte et en couvrir la farce. Souder les bords. Faire une cheminée au centre. Dorer au jaune d'œuf légèrement étendu d'eau. Faire cuire à four moyen 45 minutes.

Tourte de la vallée

Préparation et cuisson : 1 heure 50 minutes.

500 g. de pâte feuilletée / 700 g. de collet de porc / 100 g. de pain sec / 1 verre de lait / 2 oignons / 2 gousses d'ail / 30 g. de beurre / Sel, poivre, noix de muscade, girofle en poudre / 50 g. de persil haché / 1 jaune d'œuf.

Faire tremper le pain dans le lait 30 minutes et l'écraser finement.
Hacher la viande.
Emincer les oignons pelés et les faire blondir dans le beurre.
Mélanger intimement le pain, la viande, les oignons, le persil, l'ail écrasé. Ajouter les œufs battus et l'assaisonnement.
Garnir une tourtière avec la moitié de la pâte en la laissant déborder sur le pourtour du moule. Y verser la préparation. Replier la pâte tout autour sur la viande et l'humecter.
Poser dessus la deuxième abaisse. Souder les deux épaisseurs de pâte. Cranter le tour. Dorer au pinceau avec le jaune d'œuf dilué d'un peu d'eau.
Faire cuire environ 1 heure à four chaud.

Tourte à la viande

Préparation et cuisson : 1 heure 20 minutes.

400 g. de pâte feuilletée / 500 g. de viande hachée (restes de viande) / 2 oignons / 2 gousses d'ail / Quelques branches de persil / 2 œufs / 20 cl. de crème / Sel, poivre.

Séparer la pâte en deux parties, l'une légèrement plus grosse que l'autre.
Etaler chacune en rond, la plus grosse partie, d'un diamètre légèrement supérieur.
Avec le plus grand disque foncer un moule à tarte en laissant déborder la pâte autour du moule sur une largeur de 2 cm.
Eplucher et hacher l'oignon, la gousse d'ail ainsi que le persil.
Mêler tous les ingrédients, ajouter 1 œuf et 1 blanc. Remuer pour obtenir un mélange homogène et le verser sur le fond de pâte. Arroser avec la crème salée et poivrée.
Poser le deuxième disque sur la farce. Mouiller le bord. Replier dessus la partie du premier disque qui dépasse ; appuyer pour souder les bords ensemble.
Former une cheminée avec un petit morceau d'aluminium roulé.
Badigeonner le dessus avec 1 jaune d'œuf dilué d'un peu d'eau.
Faire cuire 50 minutes à four chaud.

Tarte de viande au chou

Préparation et cuisson : 1 heure 30 minutes.

400 g. de pâte brisée / 1 petit chou frisé / 5 oignons / 50 g. de beurre / 1 cuillerée d'huile / 400 g. de viande cuite hachée.

Dans de l'eau bouillante salée, faire blanchir 20 minutes le chou émincé finement. L'égoutter soigneusement.

Eplucher, hacher les oignons et les faire revenir dans le beurre avec le chou. Ajouter la viande et prolonger la cuisson 10 minutes.

Garnir un moule à tarte avec la pâte et y verser la préparation.

Faire cuire à four moyen 45 minutes.

Tourte à la viande et aux marrons

Préparation et cuisson : 1 heure 45 minutes.

250 g. de pâte brisée salée / 300 g. de porc maigre / 3 pommes / 1 petite boîte de marrons au naturel / 2 œufs / 1 dl. de madère / 20 g. de beurre / Sel, poivre.

Hacher la viande. Ajouter les pommes coupées en lamelles très fines et les marrons grossièrement hachés, le madère, le sel, le poivre et un œuf entier.

Abaisser les 2/3 de la pâte et foncer une tourtière beurrée. Piquer le fond avec une fourchette et le garnir avec la farce.

Badigeonner de jaune d'œuf les bords de la pâte. Etendre le reste de pâte en un disque que l'on pose sur la farce.

Bien souder les bords, et badigeonner le dessus avec le reste d'œuf. Faire une cheminée au centre.

Mettre au four pendant 45 minutes.

Tarte au poulet

Préparation et cuisson : 50 minutes.

250 g. de pâte brisée / 400 g. de poulet désossé, émincé / 50 g. de beurre / 1 petit verre de rhum / 2 œufs / 100 g. de crème / Sel, poivre / Persil haché / 250 g. de champignons émincés au naturel.

Foncer un moule à tarte et le faire cuire à blanc.

Faire revenir au beurre le poulet et les champignons égouttés.

Mélanger le rhum, les œufs battus, la crème, le persil, le sel, le poivre et verser sur les champignons. Etendre la préparation sur le fond de tarte et faire cuire à four chaud 25 minutes.

Tarte à la volaille

Préparation et cuisson : 1 heure.

250 g. de pâte brisée / 300 g. à 350 g. de chair de volaille / 50 g. de beurre / 50 g. de farine / 1/2 lit. de lait / 3 œufs / 1 cuillerée à soupe de crème fraîche / Sel, poivre / Muscade.

Abaisser la pâte et foncer un moule à tarte beurré. Piquer le fond avec une fourchette.

Hacher finement les restes de viande.

Faire fondre le beurre. Ajouter la farine. Mouiller avec le lait. Laisser cuire à feu doux pendant 5 minutes. Saler, poivrer. Ajouter la muscade, puis la viande, la crème, les œufs battus en omelette et bien mélanger le tout.

Verser la préparation dans la tarte et faire cuire à four moyen pendant 30 minutes.

Peut se servir en tartelettes.

La tourte à la viande et aux marrons. (*Photo J.L. Syren*)

...aux légumes,

Tarte aux pointes d'asperges

Préparation et cuisson : 1 heure 10 minutes.

300 g. de pâte brisée / 1 kg. d'asperges / 70 g. de beurre / 50 g. de farine / Sel, poivre, noix de muscade / 1,5 dl. de crème / 50 g. de gruyère râpé.

Peler, laver les asperges, retirer les pointes, couper le reste en tronçons de 5 cm. Les faire cuire à l'eau bouillante salée 15 minutes puis ajouter les pointes ; laisser encore pocher 10 minutes. Egoutter les asperges en réservant l'eau de cuisson. Réserver des pointes pour décorer la tarte.

Faire un roux avec 50 g. de beurre, la farine et mouiller avec du jus de cuisson des asperges, puis ajouter la crème. Assaisonner. Ajouter les asperges, sauf les pointes, et mêler délicatement.

Foncer un moule à tarte avec la pâte, y verser la préparation, saupoudrer de gruyère et de noisettes du beurre restant. Garnir avec les pointes d'asperges.

Faire cuire 30 minutes à four chaud.

Tourte Argenteuil

Préparation et cuisson : 45 minutes.

300 g. de pâte brisée / 600 g. de pointes d'asperges cuites / 25 cl. de crème fraîche / 4 œufs / Sel, poivre / Paprika.

Etendre la pâte, en foncer un moule à tarte et faire cuire à blanc 15 minutes.

Répartir les têtes d'asperges bien égouttées sur le fond de tarte.

Battre les œufs avec la crème ; assaisonner. Verser sur la tarte, saupoudrer de paprika.

Faire cuire 20 minutes à four moyen.

Tarte aux carottes

Préparation et cuisson : 45 minutes.

350 g. de pâte feuilletée / 600 g. de carottes cuites dans un pot-au-feu / 2 œufs / 1 petit pot de crème / 150 g. de comté / Sel, poivre.

Etendre la pâte dans un moule à tarte et la faire cuire à blanc 15 minutes. Y disposer les carottes coupées en rondelles.

Mélanger les œufs avec la crème, le fromage, le sel et le poivre.

Etendre la préparation sur les carottes et faire cuire la tarte à four chaud 20 minutes.

Tarte forestière

Préparation et cuisson : 55 minutes.

250 g. de pâte brisée / 250 g. de champignons (rosés des prés ou chanterelles ou trompettes des morts) / 2 dl. de crème / 1/2 verre de lait / 3 œufs / Sel, poivre / Persil.

Mettre les champignons nettoyés et lavés dans une poêle sur le feu et les laisser suer leur eau.

Dans une terrine battre les œufs, leur ajouter la crème, le lait, le sel, le poivre et le persil.

Garnir un moule à tarte avec la pâte, y répartir les champignons, napper avec la préparation.

Mettre cuire 30 minutes à four chaud.

Tarte à la citrouille

Préparation et cuisson : 1 heure 10 minutes.

300 g. de pâte brisée / 750 g. de citrouille / 2 gousses d'ail hachées / 300 g. de lard fumé / 100 g. de crème / 2 œufs / 25 g. de farine / 10 g. de persil haché / Sel / 100 g. de gruyère râpé.

Garnir un moule avec la pâte.

Couper le lard en petits lardons et les faire blanchir quelques minutes. Les égoutter. Les faire ensuite rissoler dans la poêle.

Ajouter à la citrouille cuite à l'eau, égouttée et réduite en purée, l'ail, la farine, la crème, les œufs battus, puis les lardons.

Verser cette préparation sur la pâte.

Parsemer de gruyère et faire cuire à four chaud 30 minutes.

La tarte à la citrouille. (Photo P. Fischer)

La flamiche aux endives. (Photo J.L. Syren)

Tarte à la courge

Préparation et cuisson : 1 heure.

250 g. de pâte brisée / 300 g. de courge / 1,5 dl. de lait / 25 cl. de crème / 20 g. de farine / 1 œuf / 50 g. de gruyère / Sel.

Faire cuire à la vapeur la chair de courge coupée en quartiers. L'égoutter et l'écraser.

Foncer un moule à tarte avec la pâte et y verser la purée de courge.

Battre le jaune d'œuf avec la crème, le lait, la farine, ajouter le gruyère râpé et délicatement le blanc d'œuf battu en neige.

Napper la tarte et faire cuire 35 minutes à four chaud.

Flamiche aux endives

Préparation et cuisson : 1 heure 15 minutes.

250 g. de pâte brisée / 150 g. de lard maigre / 1 cuillerée d'huile / 5 endives / 1 citron / 2 œufs / 2 dl. de crème / 100 g. de gruyère râpé.

Etaler la pâte et en foncer une tourtière.

Laver, essuyer et émincer les endives.

Couper le lard en petits morceaux et le faire rissoler dans l'huile. Mettre les lardons en attente et faire étuver l'endive dans leur jus de cuisson, avec le jus de citron.

Mélanger les œufs, la crème, le gruyère, les lardons, l'endive. Ajouter éventuellement sel et poivre.

Verser cette préparation sur la pâte et faire cuire 30 minutes à four chaud.

Tarte aux épinards

Préparation et cuisson : 1 heure 10 minutes.

350 g. de pâte au vin blanc (voir p. 93) / 1,5 kg. d'épinards / 50 g. de beurre / 6 œufs / 50 g. de gruyère râpé / 1 dl. de crème épaisse / Sel, poivre, noix de muscade.

Faire la pâte et la laisser reposer.

Laver, trier les épinards et les faire blanchir 10 minutes à l'eau bouillante salée.

Les égoutter et les presser pour enlever l'eau. Les hacher et les assaisonner. Faire chauffer à feu doux.

Foncer une tourtière avec la pâte et la faire cuire à blanc. Y répartir les épinards et y faire 6 nids. Casser un œuf dans chacun. Mettre au four pour faire prendre les blancs.

Servir avec gruyère râpé et crème.

Tourte aux épinards

Préparation et cuisson : 1 heure 10 minutes.

350 g. de pâte brisée / 1 jaune d'œuf pour dorer / 20 g. de beurre, 1 cuillerée d'huile / 250 g. de porc / 200 g. de veau / Sel, poivre, muscade / 1 kg. d'épinards / 1 œuf / 5 cl. de crème.

Hacher la viande, l'assaisonner et la faire revenir 10 minutes dans la matière grasse.

Laver et plonger les épinards dans de l'eau bouillante salée. Après 10 minutes, les égoutter soigneusement, les hacher, leur ajouter l'œuf battu et la crème.

Foncer un moule à tarte avec les 2/3 de la pâte, y répandre la viande, couvrir avec les épinards.

Couper des bandes dans la pâte restante et les disposer en croisillons sur la tarte.

Dorer au jaune d'œuf et faire cuire 30 minutes à four chaud.

Tarte aux jets de houblon

Préparation et cuisson : 1 heure 20 minutes.

300 g. de pâte brisée / 300 g. de jets de houblon / 200 g. de jambon / 30 g. de beurre / 30 g. de farine / 70 g. de gruyère râpé / 1/3 lit. de lait / 1 citron / Sel, poivre, noix de muscade.

Faire blanchir les jets de houblon dans de l'eau bouillante salée, additionnée du jus de citron et les égoutter.

Faire un roux avec 30 g. de beurre et la farine, mouiller peu à peu avec le lait en remuant. Assaisonner. Ajouter 50 g. de gruyère, puis les jets de houblon et le jambon coupé menu. Mêler délicatement.

Garnir une tourtière avec la pâte et y verser la préparation. Saupoudrer du reste de gruyère et de beurre en petites parcelles.

Faire cuire 40 minutes à four moyen.

La tarte aux épinards. (Photo J.L. Syren)

La quiche aux oignons. (*Photo J.L. Syren*)

Tarte aux petits légumes

Préparation et cuisson : 40 minutes.

250 g. de pâte brisée / 1/2 lit. de sauce béchamel épaisse / 1/2 boîte de macédoine de légumes / Persil / 50 g. de gruyère / 20 g. de beurre.

Foncer un moule avec la pâte, la piquer et la faire cuire à blanc. Egoutter la macédoine et la mélanger à la sauce béchamel ainsi que le persil haché. Verser cette préparation sur la pâte, saupoudrer de gruyère râpé et de noix de beurre et remettre 10 minutes au four.

Tarte aux légumes

Préparation et cuisson : 1 heure 15 minutes.

300 g. de pâte brisée / 10 g. de beurre / 300 g. de viande hachée (mélange) / Sel, poivre / Herbes aromatiques / 1 oignon / 4 tomates pelées / Vert de céleri / Persil / 1 poireau / 1/2 céleri / 3 carottes / 2 œufs / 25 cl. de crème / Sel / Muscade.

Abaisser la pâte et en foncer un moule à tarte beurré.
Faire fondre le beurre dans une poêle et y faire revenir la viande hachée. Saler et poivrer. Ajouter l'oignon haché, les tomates coupées en dés, le vert de céleri et le persil hachés. Mélanger et faire étuver 2 minutes. Rectifier l'assaisonnement.
Laisser refroidir et verser sur la pâte.
Couper le poireau tout menu, les carottes et le céleri en dés. Les faire cuire 15 minutes dans un peu d'eau salée.
Battre les œufs et la crème. Saler et ajouter de la noix de muscade. Ajouter aux légumes égouttés et refroidis et verser sur la viande. Saupoudrer avec les herbes aromatiques.
Faire cuire à four chaud pendant 40 minutes.

Tourte aux légumes

Préparation et cuisson : 1 heure 35 minutes.

500 g. de pâte à pain / 6 tomates / 2 poivrons / 3 oignons / 2 gousses d'ail / Sel, poivre, thym / 1 cuillerée de persil haché / 2 cuillerées d'huile / 1 jaune d'œuf.

Faire revenir dans l'huile, les oignons pelés, émincés, le poivron en lanières, les tomates pelées épépinées et coupées, le persil haché. Assaisonner.
Quand le mélange est réduit, l'étendre sur le fond de tarte ; recouvrir d'un disque de pâte, faire une cheminée. Badigeonner avec un jaune d'œuf et faire cuire à four moyen, 1 heure environ.

Tartes à l'oignon

Préparation et cuisson : 50 minutes.

250 g. de pâte brisée / 50 g. de beurre / 50 g. de farine / 1/3 lit. de lait / 6 oignons.

Faire revenir les oignons épluchés et émincés dans le beurre, ajouter la farine, la laisser blondir en remuant. Ajouter le lait chaud progressivement pour éviter les grumeaux. Laisser frémir à tout petit feu 10 minutes.

Etendre la pâte, en garnir une tourtière. Y étaler la préparation. Faire cuire à four chaud.

On peut ajouter des petits lardons aux oignons.

Préparation et cuisson : 30 minutes.

300 g. de pâte feuilletée / 6 gros oignons / 80 g. de beurre / 100 g. de gruyère râpé / Sel, poivre.

Etendre la pâte, la piquer avec une fourchette et la faire cuire à four moyen 15 minutes.

Eplucher et émincer les oignons, les faire revenir dans 60 g. de beurre chaud, les saler, les poivrer légèrement.

Etendre cette préparation sur le fond de pâte, saupoudrer de gruyère et de parcelles de beurre.

Faire dorer à four chaud 10 minutes.

Préparation et cuisson : 1 heure.

300 g. de pâte feuilletée / 400 g. d'oignons / 150 g. de lardons ou de jambon / 30 g. de beurre / Sel, poivre / 3 œufs / 1/4 lit. de lait.

Etendre la pâte, en garnir un moule et la faire cuire à blanc.

Faire revenir au beurre les oignons épluchés et émincés et les lardons.

Les répartir sur le fond de tarte.

Battre les œufs et le lait, saler, poivrer.

Napper les oignons de ce mélange.

Cuire à four chaud 35 minutes.

Quiche aux oignons

Préparation et cuisson : 1 heure 15 minutes.

Pâte : *300 g. de farine / 1 pincée de sel / 75 g. de saindoux / 75 g. de beurre / 1 œuf.*
Garniture : *150 g. de lard de poitrine / 1 kg. d' oignons / 75 g. de saindoux / 1/2 lit. de lait / 60 g. de beurre / 60 g. de farine / 1 œuf / 2 cuillerées à soupe de crème fraîche / Sel, poivre / Noix de muscade.*

Faire une fontaine dans la farine. Y mettre le beurre coupé en petits morceaux, le saindoux, le sel et l'œuf. Mélanger rapidement pour obtenir un pâte fine et la rouler en boule. Laisser reposer 30 minutes.

Eplucher les oignons et les couper en lamelles. Les faire revenir dans le saindoux et les laisser blondir.

Faire fondre le beurre, ajouter la farine et laisser cuire à feu doux 2 à 3 minutes. Ajouter le lait, le sel, le poivre et la noix de muscade. Laisser épaissir en remuant pendant une dizaine de minutes. Retirer du feu et laisser tiédir. Délayer le jaune d'œuf et la crème et les incorporer à la préparation. Ajouter les oignons.

Abaisser la pâte et foncer un moule à tarte beurré. Disposer dans le fond une couche de petits lardons, et verser la sauce dessus. Garnir avec le reste des lardons.

Faire cuire 25 minutes à four chaud.

Pissaladière

Préparation et cuisson : 1 heure 30 minutes.

500 g. de pâte à pain / 2 cuillerées de farine / 7 cuillerées d'huile d'olive / 1 kg. d'oignons / 6 anchois / 50 g. d'olives noires / Sel, poivre.

Pétrir la pâte en lui faisant absorber 3 cuillerées d'huile. La laisser reposer en boule.

Eplucher et émincer les oignons. Faire chauffer 3 cuillerées d'huile et y faire blondir les oignons jusqu'à ce qu'ils soient transparents, saler et poivrer.

Sur une surface farinée, abaisser la pâte et en garnir une tourtière farinée. Y répartir les filets d'anchois. Recouvrir avec les oignons.

Etendre les chutes de pâte après les avoir superposées, y découper des bandes et les disposer en croisillons sur la tarte, puis garnir chaque losange d'une olive. Arroser avec le reste d'huile.

Faire cuire 25 minutes à four chaud.

Tarte aux poireaux

Préparation et cuisson : 1 heure 10 minutes.

250 g. de pâte brisée / 6 poireaux / 3 oignons / 50 g. de gruyère râpé / 50 g. de beurre.
Béchamel : *30 g. de beurre / 30 g. de farine / 1/4 lit. de lait / 1 dl. de crème.*

Eplucher et laver les poireaux, les couper en rondelles. Eplucher et émincer les oignons. Faire suer ces légumes dans 50 g. de beurre.
Faire la béchamel, lui ajouter la crème et y mêler les légumes.
Etendre la pâte, y verser la préparation, saupoudrer de fromage. Enfourner à four chaud 35 minutes.

Tarte aux poireaux et aux oignons

Préparation et cuisson : 1 heure.

250 g. de pâte brisée / 3 gros poireaux / 3 gros oignons / 30 g. de beurre / Sel, poivre / Laurier / 1 canette de bière / 100 g. de gruyère râpé.

Peler, couper et émincer les poireaux et les oignons. Faire revenir doucement les légumes dans la matière grasse, leur ajouter les aromates et la bière. Laisser cuire jusqu'à ce que les légumes soient tendres.

Etendre la pâte, foncer un moule à tarte et faire cuire à blanc 10 minutes.

Verser la préparation aux légumes sur le fond de tarte et faire cuire à nouveau 30 minutes à four moyen. Servir chaud.

Tourte aux pommes de terre

Préparation et cuisson : 2 heures.

350 g. de pâte brisée / 600 g. de pommes de terre / 5 oignons / 250 g. de jambon de Bayonne / Sel, poivre / Persil.

Etendre la pâte et en garnir un moule.

Laver, éplucher et couper les pommes de terre en rondelles très fines. Emincer les oignons épluchés, couper le jambon en petits morceaux.

Sur la pâte, répartir en alternant les couches de pommes de terre, d'oignons et de jambon. Assaisonner.

Recouvrir d'un disque de pâte, y faire une cheminée et faire cuire à four modéré 1 heure 30 minutes environ.

15 minutes avant la fin de la cuisson, badigeonner le dessus avec du jaune d'œuf dilué avec un peu d'eau et remettre dorer au four.

Tarte à la ratatouille

Préparation et cuisson : 55 minutes.

300 g. de pâte brisée / 1 gros bol de ratatouille / 3 œufs / 100 g. de gruyère râpé.

Etendre la pâte, en garnir un moule à tarte et la faire cuire à blanc 20 minutes.

Répandre la ratatouille sur le fond de tarte, la couvrir des œufs battus avec 80 g. de fromage râpé, parsemer le reste sur la tarte et faire gratiner à four chaud.

Tarte aux tomates et aux oignons

Préparation et cuisson : 1 heure.

250 g. de pâte brisée / 6 oignons moyens / 6 petites tomates rondes / Sel, poivre / Estragon / Muscade / 2 cuillerées d'huile d'olive / 12 olives noires / 1 cuillerée à soupe de moutarde.

Foncer un moule à tarte avec la pâte et la tartiner de moutarde avec un pinceau.

Faire cuire à la vapeur les oignons épluchés. Les couper en rondelles, les disposer sur la moutarde. Saupoudrer de sel, poivre, estragon, muscade.

Couvrir avec des rondelles de tomates épluchées.

Arroser d'huile d'olive. Décorer d'olives.

Faire cuire 30 minutes à four chaud.

Quiche aux tomates

Préparation et cuisson : 50 minutes.

350 g. de pâte à pain / 1 kg. de tomates / 4 œufs / 2 dl. de crème / Sel, poivre / 250 g. de jambon / 100 g. de gruyère.

Réduire les tomates en purée (sauf 3 pour la garniture) après les avoir pelées.

Battre les œufs, leur ajouter la crème, le jambon, le gruyère râpé, sel et poivre.

Faire cuire à blanc le fond de tarte 10 minutes. Verser dessus la préparation, garnir avec des tranches de tomates restantes.

Parsemer de gruyère et faire cuire au four chaud 20 minutes.

Tourte napolitaine

Préparation et cuisson : 1 heure 30 minutes.

250 g. de pâte brisée / 150 g. de lard fumé / Sel, poivre, origan / 5 tomates / 125 g. de gruyère / 1 dl. de crème / 2 œufs.

Garnir une plaque beurrée avec la pâte.

Couper le lard en petits dés et le faire revenir. Couper le fromage et les tomates en dés réguliers. Mélanger ces ingrédients et les répartir sur le fond de tarte.

Battre les œufs en omelette, ajouter le lait, assaisonner. Verser cette préparation sur la pâte.

Cuire à chaleur moyenne, 20 à 25 minutes.

La tourte aux pommes de terre. (Photo J.L. Syren)

La tarte à la tomate. *(Photo J.L. Syren)*

La tourte napolitaine. *(Photo P. Fischer)*

Pizza forestière

Préparation et cuisson : 1 heure.

300 g. de pâte à pain / 1 kg. de tomates / 1 oignon / 2 tranches de jambon de Paris de 1 cm d'épaisseur / 125 g. de champignons de Paris au naturel / 10 olives noires / 125 g. de gruyère râpé / Thym, romarin, marjolaine / Sel, poivre / 30 g. de beurre / 1 cuillerée d'huile d'olive.

Etendre la pâte et en garnir un moule à tarte. La laisser reposer 30 minutes.

Ebouillanter les tomates 3 minutes pour les peler plus facilement.

Les couper en morceaux et les épépiner. Les verser dans une poêle dans la matière grasse chaude.

Eplucher l'oignon, le couper en petits cubes et l'ajouter aux tomates. Laisser rissoler 10 minutes. Saler, poivrer.

Couper le jambon en cubes, égoutter les champignons et les couper en morceaux.

Verser les tomates écrasées sur la pâte, parsemer de cubes de jambon et de champignons.

Saupoudrer d'aromates, de gruyère râpé, répartir les olives et arroser avec l'huile d'olive.

Mettre cuire à four très chaud 25 minutes.

Tarte à la tomate

Préparation et cuisson : 1 heure 10 minutes.

300 g. de pâte brisée / 1 kg. de tomates / 100 g. de gruyère / Moutarde / Sel, poivre / 2 à 3 échalotes / Persil / Thym / 2 à 3 tranches de jambon / 300 g. de viande hachée (porc et veau).

Peler, épépiner et couper les tomates en tranches. Les égoutter.

Abaisser la pâte et en foncer un moule à tarte beurré. La badigeonner de moutarde, y déposer le gruyère et le jambon coupés en lamelles. Recouvrir avec les tranches de tomates. Saler légèrement et parsemer d'herbes hachées.

Dans une poêle, faire revenir les échalotes hachées dans un peu d'huile, y ajouter la viande et laisser saisir pendant 3 minutes. Ajouter la viande sur la tarte. Saler et poivrer. Parsemer d'herbes hachées.

Faire cuire à four chaud pendant 30 minutes.

...aux fruits, à la crème.

Tarte aux abricots

Préparation et cuisson : 50 minutes.

250 g. de pâte brisée / 3 dl. de lait / 3 œufs / 50 g. de sucre / 50 g. de farine / 50 g. de poudre d'amandes / 500 g. d'abricots / 1 gousse de vanille.

Etendre la pâte, garnir un moule à tarte et la faire cuire à blanc 15 minutes à four chaud ; la laisser refroidir.

Pendant ce temps, faire cuire le lait avec la gousse de vanille fendue.

Battre les œufs avec le sucre jusqu'à ce que le mélange blanchisse ; ajouter la farine, la poudre d'amandes, verser dessus le lait bouillant, en remuant et porter à ébullition. Dès que la préparation épaissit, la retirer du feu. Laisser refroidir en remuant à plusieurs reprises.

Etendre la préparation sur le fond de tarte, garnir avec les abricots coupés en deux. Faire dorer 10 minutes à four chaud.

Tourte aux abricots

Préparation et cuisson : 1 heure.

100 g. de beurre / 100 g. de sucre / 2 œufs / Sel / 1 citron / 200 g. de farine / 1 cuillerée à café de levure en poudre / 800 g. d'abricots / Amandes effilées.

Tourner en mousse le beurre et le sucre. Ajouter les œufs battus, le sel, le zeste râpé du citron.

Incorporer la farine tamisée et la levure. Verser la pâte dans un moule à manqué beurré.

Couper les abricots en deux, les dénoyauter et les ranger sur la pâte. Saupoudrer avec un peu de sucre et des amandes effilées.

Mettre à cuire à four chaud.

Eventuellement saupoudrer encore de sucre à la sortie du four.

Photo J.L. Syren

L'arlésienne

Préparation et cuisson : 1 heure.

300 g. de pâte brisée / 1 boîte d'abricots au sirop / 150 g. d'amandes moulues / 15 cl. de crème / 1 œuf / 125 g. de sucre / Confiture de framboise.

Abaisser la pâte. Foncer un moule à tarte beurré et fariné.
Mélanger les amandes, le sucre, la crème et l'œuf. Verser la préparation sur la tarte. Y disposer les moitiés d'abricots.
Mettre un peu de confiture à l'emplacement des noyaux.
Faire cuire 40 minutes à four moyen.

Tarte aux abricots

Préparation et cuisson : 45 minutes.

250 g. de pâte sablée / 500 g. d'abricots / Fraises des bois / 3 cuillerées de gelée d'abricot / 50 g. de sucre.

Etendre la pâte et en garnir un moule. Y disposer les abricots côté bombé sur la pâte. Faire cuire 20 minutes à four chaud.
Sortir la tarte, la saupoudrer de sucre et la faire caraméliser sous le gril.
A la sortie du four décorer chaque abricot avec une fraise.

Tarte aux abricots et au fromage blanc

Préparation et cuisson : 40 minutes.

300 g. de pâte sablée ou pâte à tarte biscuitée / 200 g. de fromage blanc / 2 cuillerées à soupe de sucre / 1 pot de crème / 1 cuillerée à soupe de kirsch / 500 g. d'abricots dénoyautés.
Sirop : *1 dl. d'eau / 100 g. de sucre.*

Faire pocher les oreillons d'abricots dans le sirop 10 minutes. Les égoutter.
Faire cuire à blanc 20 minutes le fond de tarte. Laisser refroidir.
Battre le fromage blanc avec le sucre, la crème fraîche et le kirsch.
Etendre cette préparation sur le fond de tarte et garnir avec des abricots. Napper avec le sirop bien réduit.

Tarte d'abricots aux pommes

Préparation et cuisson : 1 heure 10 minutes.

400 g. de pâte feuilletée / 600 g. de compote de pommes / 1 boîte d'abricots au sirop / 3 œufs / 100 g. de sucre / 2 dl. de crème / 1 sachet de sucre vanillé.

Etendre la pâte, en foncer un moule à tarte. Disposer dessus la compote de pommes, garnir avec les abricots.
Mélanger les œufs, le sucre, la crème et le sucre vanillé, étendre cette préparation sur les abricots et faire cuire à four moyen 45 minutes.

Tarte meringuée à la confiture

Préparation et cuisson : 55 minutes.

200 g. de pâte brisée / 400 g. de confiture d'airelles / 2 œufs / 50 g. de sucre / 30 g. d'amandes effilées / Sel.

Abaisser la pâte et foncer un moule à tarte beurré. Piquer le fond avec une fourchette et faire cuire à blanc pendant 20 minutes.
Verser la confiture dans le fond de tarte aux deux tiers de la hauteur du bord.
Battre les blancs en neige avec une pincée de sel. Ajouter le sucre.
Recouvrir entièrement la confiture avec les blancs en neige. Parsemer le dessus d'amandes effilées.
Mettre au four (très doux) et laisser durcir la meringue 20 minutes.
Laisser refroidir avant de démouler.

Tarte aux airelles

Préparation et cuisson : 2 heures.

Pâte : *200 g. de farine / 1 cuillerée à soupe de crème aigre / 1 cuillerée à soupe de rhum ou d'eau-de-vie / 1 pincée de sel / 50 g. de sucre / 100 g. de beurre.*
Garniture : *350 g. d'airelles / 150 g. de sucre.*
1 jaune d'œuf pour badigeonner.

Faire une fontaine dans la farine et y mettre tous les ingrédients dont le beurre en petits morceaux. Malaxer ensemble et ramasser la pâte en boule. La laisser au frais 1 heure.
Entre-temps laver les airelles et les laisser égoutter, ajouter le sucre, mélanger.
Abaisser les 3/4 de la pâte et en foncer un moule de 25 cm de diamètre. Garnir avec les airelles.
Etendre le reste de pâte. A la roulette y découper des lanières. Les disposer sur les airelles. Poser une bande sur le pourtour en la soudant. Badigeonner de jaune d'œuf dilué avec un peu d'eau.
Mettre cuire la tarte au four pendant 40 minutes.
Pour la démouler, attendre qu'elle soit tiède, car elle est très friable.

Tarte de Linz

Préparation et cuisson : 20 minutes + 45 minutes.

300 g. de farine / 130 g. d'amandes moulues / 120 g. de beurre / 120 g. de sucre / 2 œufs / 1 cuillerée à café de cannelle en poudre / 1 pincée de clous de girofle / Zeste de citron râpé / Sel / Confiture de framboises (ou d'airelles) / Un peu de lait.

Creuser une fontaine dans la farine. Y mettre le sucre, les œufs, la cannelle, le zeste de citron et les amandes.
Mélanger avec une partie de la farine. Ajouter le beurre coupé en petits morceaux et pétrir rapidement (comme pour une pâte brisée).
Laisser reposer 2 heures.
Abaisser la pâte (1/2 cm d'épaisseur).
Découper un rond et poser sur la tôle beurrée. Garnir de confiture.
Etendre le reste de pâte et la découper en lanières. Les disposer en croisillons sur la tarte. Poser une dernière bande sur le pourtour. Badigeonner la pâte avec du lait sucré.
Cuire à four moyen pendant 30 minutes.

Les tartes de Linz. *(Photo J.L. Syren)*

Photo A. Loviton

Galette des rois

Préparation et cuisson : 1 heure 30 minutes.

500 g. de pâte feuilletée / 1 œuf pour dorer / Crème / 60 g. d'amandes mondées / 1 cuillerée de kirsch / 60 g. de sucre fin / 60 g. de beurre / 1 œuf.

Piler le sucre et les amandes en mouillant avec l'œuf, ajouter le beurre réduit en crème, le parfum. Si la crème devient trop épaisse ajouter un petit peu de crème fraîche.

Etendre la pâte et y découper deux disques identiques. Répartir la crème sur le 1er et y placer la fève. Mouiller le tour. Couvrir avec le deuxième et bien souder les bords.

Décorer et dorer la galette avec un jaune d'œuf dilué avec 1 cuillerée d'eau.

Cranter les bords pour permettre à la pâte de mieux lever.

Mettre à four chaud 40 minutes.

Tarte aux amandes

Préparation et cuisson : 50 minutes.

250 g. de pâte brisée / 1 jaune d'œuf pour dorer / Confiture.
Crème d'amandes : *75 g. de poudre d'amandes / 75 g. de sucre en poudre / 25 g. de beurre / 2 cuillerées de kirsch.*

Dans une terrine, travailler le beurre en crème et le mélanger avec la poudre d'amandes ; ajouter le sucre, les œufs et le kirsch, bien mélanger.

Garnir un moule à tarte de pâte, en réserver une petite partie.

Verser la crème d'amandes sur la pâte.

Découper dans la pâte restante, des lamelles de 1 cm environ et en garnir le dessus du gâteau. Battre l'œuf et en badigeonner les croisillons de pâte.

Cuire à four chaud pendant 35 minutes environ.

Au sortir du four, laisser refroidir, puis glacer à la confiture.

Tartelettes amandines

Préparation et cuisson : 1 heure.

Pâte : *1 œuf entier / 75 g. de sucre / 1 pincée de sel / 125 g. de farine / 75 g. de beurre.*
Garniture : *2 jaunes d'œufs / 50 g. de sucre / 100 g. de poudre d'amandes / 1 pincée de sel / 50 g. d'amandes effilées / 2 cuillerées à soupe de confiture de pêches ou d'abricots / Cerises confites (facultatif).*

Mélanger à la spatule, l'œuf, le sucre et le sel, jusqu'à ce que la préparation blanchisse. Ajouter la farine puis le beurre divisé en parcelles. Pétrir rapidement à la main pour obtenir une pâte qui se détache bien des doigts. La laisser reposer 15 minutes.

Mélanger dans une terrine, les jaunes d'œufs, le sucre, le sel et la poudre d'amandes.

Foncer des moules à tartelettes avec la pâte. Cuire à four chaud 10 minutes.

Les retirer du feu et les garnir avec la préparation.

Remettre au four 15 minutes environ pour achever la cuisson. A la sortie du four, laisser refroidir.

Tartiner ensuite les tartelettes à la confiture passée et garnir d'amandes effilées et éventuellement d'une cerise confite au centre.

Tartes à l'ananas

Préparation et cuisson : 50 minutes.

300 g. de pâte brisée / 2 dl. de crème pâtissière / 10 tranches d'ananas / 5 cl. de rhum / 50 g. de sucre / Cerises confites.

Etendre la pâte, en garnir un moule et la faire cuire à blanc 25 minutes.

Etendre la crème pâtissière froide sur le fond de tarte refroidi.

Garnir avec les tranches d'ananas et napper avec le sirop fait avec le jus d'ananas, le rhum et le sucre. Décorer avec des cerises confites.

Préparation et cuisson : 1 heure 10 minutes.

Pâte : *250 g. de farine / 125 g. de beurre / 1 verre de lait / 1 pincée de sel.*
Garniture : *8 tranches d'ananas / 1/2 lit. de lait / 4 jaunes d'œufs / 125 g. de sucre en poudre / 60 g. de farine / 1 petit verre de rhum / 30 g. de beurre.*

Préparer la pâte, la laisser reposer 30 minutes. En garnir un moule et faire cuire à blanc 20 minutes. Laisser refroidir.

Battre les jaunes d'œufs avec le sucre jusqu'à ce qu'ils blanchissent, ajouter la farine puis le lait chaud.

Faire épaissir sur le feu. Remuer, ne pas faire bouillir, retirer du feu dès que la crème nappe la cuillère. Laisser refroidir, en remuant de temps en temps, puis verser sur la pâte.

Faire dorer les tranches d'ananas dans du beurre et les disposer ensuite sur la tarte. Arroser avec le rhum et flamber.

Préparation et cuisson : 50 minutes.

250 g. de pâte brisée.
Crème : 3 cuillerées de farine / 14 cuillerées de sucre / 2 verres d'eau / 1/2 verre de jus d'ananas / 2 jaunes d'œufs / 1/2 jus de citron / 6 tranches d'ananas.

Etendre la pâte et en garnir un moule ; la faire cuire à blanc dans un four chaud.

Mettre dans une casserole la farine et 10 cuillerées de sucre. Mélanger. Délayer avec le jus d'ananas et l'eau.

Mettre sur le feu et faire bouillir 3 minutes. Retirer.

Délayer les jaunes avec le citron.

Ajouter au premier mélange, ainsi que l'ananas haché, faire épaissir sur le feu. Verser la préparation sur la pâte.

Battre les blancs en neige avec 4 cuillerées de sucre, en garnir la tarte. Faire meringuer à four très doux.

Tarte à l'ananas

Préparation et cuisson : 1 heure.

Pâte à tarte biscuitée / 2 dl. de crème pâtissière / 10 morceaux de sucre / 1 boîte d'ananas / 1 petit verre de rhum / 2 dl. de crème fraîche / Vermicelles en chocolat ou cerises confites pour décorer.

Préparer la pâte, la verser dans un moule et la faire cuire à four moyen.

Préparer un sirop avec le jus d'ananas et les morceaux de sucre. Hors du feu, ajouter le rhum et en arroser le fond de tarte. Napper avec la crème pâtissière et garnir avec les rondelles d'ananas.

Battre la crème en chantilly et avec une poche à douille la disposer sur la tarte. Terminer avec le décor de son choix.

Tarte à l'ananas et aux kiwis

Préparation et cuisson : 50 minutes.

350 g. de pâte sablée ou pâte à biscuit / 2 dl. de crème pâtissière / 2 dl. de crème fraîche / 1 boîte d'ananas / 2 kiwis / Cerises à l'alcool.

Garnir un moule à tarte avec la pâte et la faire cuire à blanc.

Préparer la crème pâtissière, la laisser refroidir en remuant de temps en temps, puis y ajouter la crème fraîche battue en chantilly.

Etendre cette préparation sur le fond de tarte. Garnir avec les tranches d'ananas et les kiwis coupés en rondelles.

Décorer avec les cerises.

Tourte à l'ananas

Préparation et cuisson : 1 heure 15 minutes.

350 g. de pâte brisée / 1 ananas / 100 g. de sucre / 1 citron / 20 g. de beurre / 2 œufs / 1 cuillerée de maïzena / 1 jaune d'œuf.

Peler l'ananas, retirer la partie centrale ligneuse, le couper en dés et l'arroser avec le jus de citron.

Battre les œufs, la maïzena, le sucre et le beurre ramolli.

Foncer un moule avec la moitié de la pâte et en humecter le bord. Verser l'ananas sur la pâte, le couvrir avec la crème. Etendre le reste de pâte et couvrir la préparation en soudant le bord. Dorer au jaune d'œuf dilué avec une cuillerée d'eau.

Faire cuire 40 minutes à four chaud.

Tarte à la banane

Préparation et cuisson : 45 minutes.

200 g. de pâte feuilletée / 6 bananes / 3 œufs / 150 g. de sucre / 1 dl. de crème / 1 verre à liqueur de rhum.

Etendre la pâte dans un moule à tarte et faire cuire à blanc 15 minutes en piquant le fond de la pâte avec une fourchette.

Faire une purée avec la moitié des bananes. Mélanger à la crème, le sucre, les jaunes d'œufs, la farine et le rhum. Bien battre le mélange puis ajouter la purée de bananes.

Etendre le tout sur le fond de tarte, garnir avec des rondelles de bananes et cuire au four 20 minutes environ.

Tarte aux bananes

Préparation et cuisson : 1 heure 15 minutes.

250 g. de pâte sablée / 6 bananes / 4 blancs d'œufs / 1 tasse de sucre en poudre / 50 g. de poudre d'amandes.

Avec la pâte garnir un moule à tarte et faire cuire à blanc à four chaud 20 minutes environ.

Eplucher 4 bananes, les couper en deux dans le sens de la longueur, les disposer sur la pâte cuite.

Battre les blancs d'œufs, les mélanger délicatement avec 2 bananes écrasées et le sucre en poudre. Napper le dessus de la tarte de ce mélange et y saupoudrer la poudre d'amandes.

Remettre au four 10 minutes environ (thermostat 7). Servir tiède.

Tartelettes au café

Préparation et cuisson : 40 minutes.

Pâte : *100 g. de farine / 50 g. de beurre / 1 œuf / 3 cuillerées de sucre.*

Crème : *1 tasse de café / 4 jaunes d'œufs / 100 g. de sucre / 100 g. d'amandes en poudre.*

Faire la pâte et en foncer des petits moules.

Amener le café et le sucre à ébullition et le verser ensuite sur les jaunes d'œufs, ajouter les amandes en poudre.

Remplir les moules avec cette préparation jusqu'aux 2/3 de la hauteur de la pâte.

Faire cuire à four moyen. Démouler chaud. Servir froid.

Tarte à la cannelle et aux amandes

Préparation et cuisson : 1 heure.

400 g. de pâte feuilletée / 250 g. d'amandes moulues / 4 cuillerées à soupe de chapelure / 1/2 cuillerée à café de levure en poudre / 150 g. de sucre / 1,5 cuillerée à soupe de cannelle moulue / 50 g. d'écorce confite de citron / 2 œufs / 15 cl. de crème / 10 cl. de lait.

Abaisser la pâte et foncer un moule. Piquer le fond avec une fourchette.

Mélanger les amandes, la chapelure, la levure, le sucre, la cannelle et l'écorce de citron confite finement hachée. Ajouter les œufs battus avec la crème et le lait et verser la préparation sur la pâte.

Faire cuire à four moyen pendant 45 minutes.

Tarte aux cerises

Préparation et cuisson : 1 heure 05 minutes.

250 g. de pâte brisée / 800 g. de cerises / 50 g. de sucre semoule / 100 g. de gelée de groseilles.

Dénoyauter les cerises.

Foncer un moule avec la pâte brisée. Y disposer les cerises. Faire cuire à four chaud 20 minutes, saupoudrer de sucre à mi-cuisson.

A la sortie du four, glacer avec la gelée de groseilles.

Après 10 minutes de cuisson on peut napper les fruits de 2 œufs battus avec 20 cl. de crème fraîche et le sucre.

Tartelettes au chocolat

Préparation et cuisson : 30 minutes.

350 g. de pâte brisée / 350 g. de chocolat fondant / 1 dl. de lait / 2 dl. de crème / 100 g. de beurre / Oranges ou cerises confites.

Etendre la pâte et en foncer les petits moules. Les faire cuire à blanc 10 minutes à four chaud.

Faire chauffer le lait, puis la crème, y ajouter le chocolat en petits morceaux, le laisser fondre puis mélanger avec le beurre ramolli.

Malaxer pour obtenir une pâte lisse.

A l'aide d'une douille cannelée garnir les tartelettes refroidies. Garnir avec un morceau de fruits confits.

Laisser reposer 30 minutes avant la dégustation.

Les tartelettes au café et au chocolat. (Photo J.L. Syren)

Tartes aux cerises. (Photo P. Fischer)

Tartes au citron

Préparation et cuisson : 2 heures 30 minutes.

Pâte sablée avec 200 g. de farine.
Crème au citron : *60 g. de farine / 75 g. de sucre / 1 pincée de sel / 2 œufs entiers + 2 jaunes / 4 dl. de lait / 1 citron / 15 g. de beurre.*
Sirop : *150 g. de sucre / 2 dl. d'eau / 1 citron.*

Faire la pâte et la laisser reposer 2 heures.
Foncer un moule à tarte avec cette pâte, la piquer avec une fourchette et la faire cuire à blanc à four chaud 20 minutes.
Mélanger la farine avec le sucre, le sel, les œufs. Mouiller progressivement avec le lait bouillant et faire épaissir sur feu doux en remuant. Au premier bouillon, retirer du feu et ajouter le zeste râpé, 2 cuillerées de jus de citron, puis le beurre.
Laisser tiédir en remuant de temps à autre.
Laver et couper le 2e citron en tranches.
Amener le sucre et l'eau à ébullition et y mettre pocher le citron coupé en rondelles pendant 20 minutes.
Retirer les rondelles et laisser réduire le sirop.
Verser la crème sur la pâte et garnir avec les tranches de citron. Arroser avec le sirop de citron.

Préparation et cuisson : 1 heure 15 minutes.

250 g. de pâte sablée / 1,5 dl. d'eau / 150 g. de sucre / 100 g. de beurre / 25 g. de fécule / 1,5 dl. d'eau / 3 œufs entiers / 3 jus de citron / Zeste de 2 citrons (non traités) / 2 blancs d'œufs / 100 g. de sucre glace.

Abaisser la pâte, foncer un moule à tarte. Piquer le fond avec une fourchette et faire cuire à blanc.
Porter à ébullition l'eau, le sucre et le beurre d'une part, et d'autre part délayer la fécule dans l'eau et les œufs entiers battus.
Mélanger les deux préparations et faire épaissir sur feu doux. Porter à ébullition 1 minute. Ajouter le zeste et le jus de citron.
Verser la crème sur le fond de tarte. Lisser le dessus.
Monter les blancs en neige, y ajouter le sucre.
Garnir la tarte et faire cuire la meringue à four très doux.

Tarte au citron

Préparation et cuisson : 1 heure 40 minutes.

Pâte sablée : *200 g. de farine / 100 g. de beurre ramolli / 60 g. de sucre en poudre / 1 œuf.*
Crème : *2 œufs / 100 g. de sucre en poudre / 150 g. de poudre d'amandes / 1 citron.*
Garniture : *6 citrons / 1/4 lit. d'eau / 350 g. de sucre en poudre / Vanille.*

Préparer la pâte en travaillant l'œuf et le sucre (mettre un peu de jaune d'œuf de côté pour dorer les bords). Ajouter la farine d'un coup, bien mélanger pour obtenir une pâte de consistance sableuse. Incorporer le beurre en petits morceaux. Laisser reposer pendant la préparation de la crème.

Dans une terrine, travailler l'œuf entier et le sucre. Quand le mélange est très mousseux, ajouter peu à peu la poudre d'amandes, parfumer avec du zeste et quelques gouttes de jus de citron.

Garnir de pâte un moule à tarte beurré.

Recouvrir le fond avec la crème d'amandes et dorer les bords avec le jaune d'œuf restant. Faire cuire 30 minutes à four chaud.

Laver les citrons, les couper en rondelles minces. Les mettre dans une casserole. Ajouter l'eau et le sucre. Les faire cuire à feu moyen pendant 15 minutes environ, les rondelles de citrons doivent être confites. Faire réduire le sirop.

Disposer les tranches de citrons sur la tarte et napper avec le sirop réduit.

Tartelettes au citron

Préparation et cuisson : 1 heure.

Pâte brisée : *125 g. de farine / 60 g. de margarine / 1 pincée de sel / Eau.*
Garniture : *2 œufs / 1 citron / 150 g. de sucre en poudre / Sucre glace.*

Faire une pâte brisée. La laisser reposer.

Travailler les jaunes d'œufs et le sucre dans une terrine au bain-marie jusqu'à ce qu'ils forment un ruban. Hors du feu ajouter le zeste et le jus complet du citron, puis les blancs battus en neige.

Etendre la pâte, en foncer les moules à barquettes, y mettre la garniture (ne pas remplir complètement les moules).

Avec les restes de pâte, faire des bandelettes et les disposer en quadrillage sur la préparation. Poudrer de sucre glace.

Faire cuire à four modéré 20 minutes environ.

La tarte au citron. (Photo J.L. Syren)

La tarte aux cynorrhodons. (Photo P. Fischer)

Tartelettes aux clémentines

Préparation et cuisson : 45 minutes.

250 g. de pâte sablée / 2 dl. de crème pâtissière / 12 clémentines / Gelée de groseilles.
Crème : *40 g. de beurre / 40 g. de sucre / 1 œuf / 40 g. de poudre d'amandes / 20 g. de farine / 3 cl. de Grand marnier.*

Mélanger le beurre ramolli, le sucre jusqu'à ce que le mélange blanchisse, ajouter l'œuf, les amandes, la farine et le Grand marnier.
Foncer des moules individuels avec la pâte. Garnir de crème d'amandes et faire cuire 15 minutes à four moyen.
Après refroidissement, y étaler de la crème pâtissière, garnir avec des quartiers de clémentines et badigeonner à la gelée de groseilles.

Tarte de coings et de pommes

Préparation et cuisson : 1 heure 40 minutes.

250 g. de pâte brisée / 3 œufs / 2 dl. de crème / 100 g. de sucre / 3 coings / 250 g. de sucre / 1 gousse de vanille / 3 pommes.

Laver, éplucher les coings et les faire cuire avec leurs épluchures dans 1 lit. d'eau, le sucre et la vanille pendant 40 minutes. Les égoutter et les couper en tranches.
Etendre la pâte brisée et en garnir un moule à tarte. Y intercaler des tranches de pommes avec des tranches de coings.
Mélanger les œufs avec la crème et le sucre, étendre sur les fruits et faire cuire au four 35 minutes.

Tarte à la courge

Préparation et cuisson : 1 heure 05 minutes.

300 g. de pâte brisée / 500 g. de courge (potiron) / 1 grosse cuillerée de farine / 2 dl. de lait / 70 g. de sucre semoule vanillé / 3 œufs / 1 dl. de crème / 2 cuillerées à soupe d'eau de fleur d'oranger.

Couper la chair de la courge, pelée et débarrassée de ses graines, en gros cubes et la faire cuire avec un petit peu d'eau. L'égoutter et la réduire en purée.
Y mélanger la farine, le lait, le sucre, les œufs battus.
Faire épaissir sur le feu en remuant. Hors du feu, lier avec la crème, et parfumer à la fleur d'oranger.
Foncer un moule à tarte avec la pâte et y verser la préparation. Faire cuire 40 minutes à four chaud.

Tartes aux cynorrhodons

Préparation et cuisson : 55 minutes.

250 g. de pâte brisée / 300 g. de pulpe de baies de cynorrhodons / 100 g. de sucre / 1 œuf / 2 cuillerées de sucre glace.

Foncer une tourtière avec la pâte et la faire cuire à blanc.

Mélanger la pulpe, le jaune d'œuf, le sucre et verser le mélange sur la pâte.

Battre le blanc d'œuf, y ajouter délicatement le sucre glace et répartir cette meringue sur la tarte.

Passer 15 minutes à four très doux pour durcir le meringage.

Préparation et cuisson : 1 heure 45 minutes.

250 g. de pâte brisée / 500 g. de baies / Eau / 1 jaune d'œuf.
Goumeau : *1 citron / 2 œufs / 150 g. de sucre / 2 cuillerées de vin blanc / 30 g. de semoule.*

Enlever la queue et arracher l'extrémité noire des baies. Les couvrir d'eau et les faire cuire 30 minutes. Passer dans un tamis très fin pour éliminer les graines et les poils.

Mélanger à la pulpe obtenue les œufs, le sucre, le vin blanc, la semoule, le jus et le zeste du citron.

Foncer une tourtière avec la pâte et y verser la préparation. Décorer avec des bandelettes de pâte et les badigeonner ainsi que le tour au jaune d'œuf dilué d'une cuillerée d'eau.

Faire cuire 40 minutes à four chaud.

Préparation et cuisson : 1 heure 50 minutes.

250 g. de pâte brisée / 1 kg. de baies d'églantier récoltées après les premières gelées / 1 citron / 1 œuf / 1 dl. de crème épaisse / 100 g. de sucre / 2 cuillerées de sucre glace.

Laver, enlever les queues, les extrémités, les graines et les poils des baies. Les mettre cuire couvertes d'eau 25 minutes.

Les passer au moulin, ajouter à la pulpe obtenue 100 g. de sucre, la crème et le jaune de l'œuf, le jus de citron.

Foncer un moule à tarte avec la pâte et y verser la préparation.

Faire cuire 30 minutes à four moyen.

Pendant ce temps, battre le blanc d'œuf, y ajouter délicatement le sucre glace et l'étaler sur la tarte.

Passer au four très doux pour meringuer.

Si la purée de fruits est trop liquide, ajouter 1 cuillerée de fécule.

Tarte aux épinards

Préparation et cuisson : 1 heure 10 minutes.

250 g. de pâte sablée / 500 g. d'épinards / 100 g. de fruits confits mélangés / 20 cerises confites / 1 zeste de citron / 1 jaune d'œuf.
Crème pâtissière : *1/2 lit. de lait / 3 œufs / 3 cuillerées de farine / 3 cuillerées de sucre / 1/2 gousse de vanille.*

Laver et faire blanchir les épinards. Les égoutter et les hacher.
Préparer la crème pâtissière. La mélanger aux épinards ainsi que les fruits confits hachés et le zeste de citron.
Garnir une tourtière avec la pâte et y verser la préparation.
Couper des bandelettes de pâte et les placer en croisillons sur la tarte. Les badigeonner au jaune d'œuf. Garnir avec les cerises.
Fare cuire 30 minutes à four chaud.

Tarte au flan

Préparation et cuisson : 1 heure.

Pâte : *1 œuf entier / 75 g. de beurre / 40 g. de sucre / 1 pincée de sel fin / 125 g. de farine / 1/2 cuillerée à café de levure / 1/4 de verre de lait.*
Flan : *1/4 lit. de lait / 2 œufs / 40 g. de poudre d'amandes, 30 g. de maïzena / 50 g. de sucre / 1 sachet de sucre vanillé / 1/2 gousse de vanille.*

Dans une terrine, mélanger à la spatule, lait, œuf et sel. Bien remuer jusqu'à ce que la préparation blanchisse. Ajouter la farine, puis le beurre divisé en parcelles. Travailler vivement.
Pétrir à la main jusqu'à ce que la pâte se détache des doigts.
La laisser reposer 30 minutes.
Délayer la maïzena dans quelques cuillerées de lait. Fendre la 1/2 gousse de vanille en deux, la mettre dans le lait restant, avec le sucre. Faire chauffer.
Séparer les blancs des jaunes d'œufs, les réserver dans un bol.
Mélanger les jaunes avec la maïzena délayée. Ensuite, ajouter le lait chaud, toujours en fouettant.
Remettre la préparation obtenue dans la casserole et faire épaissir à feu doux en remuant, jusqu'au premier bouillon. Retirer du feu.
Ajouter la poudre d'amandes et le sucre vanillé.
Battre les blancs d'œufs en neige et les ajouter à la crème.
Etaler votre pâte à environ 3 mm d'épaisseur. Garnir un moule à tarte à fond mobile, de préférence, et le remplir avec la crème.
Cuire à four moyen, 30 minutes environ.
Laisser tiédir, avant de démouler.

Photo P. Fischer

Tarte à la crème

Préparation et cuisson : 1 heure 45 minutes.

250 g. de farine / 40 g. de sucre / 35 g. de beurre / 1 cuillerée d'huile / 1 dl. de lait / 10 g. de levure de bière / 5 g. de sel / Eau de fleur d'oranger.
2 œufs / 25 cl. de lait / 25 g. de sucre / 1 paquet de sucre vanillé.

Mettre la farine dans une terrine. Faire une fontaine et y casser l'œuf, le sel, le sucre, le lait tiédi, la matière grasse ramollie, l'huile, l'eau de fleur d'oranger et la levure délayée dans un peu de lait tiède.

Travailler la pâte jusqu'à ce qu'elle se détache de la terrine ; la saupoudrer de farine et la mettre en boule. La couvrir et la laisser lever dans un endroit tiède.

Quand elle a doublé de volume, la pétrir à nouveau et l'étendre à 1 cm d'épaisseur. En garnir un moule à tarte et la laisser lever.

Battre l'œuf, avec le lait et le sucre, et verser cette préparation sur la pâte.

Faire cuire à four chaud 30 minutes.

Tartes aux fraises

Préparation et cuisson : 1 heure.

Pâte : *4 œufs / 2 cuillerées à soupe d'eau tiède / 150 g. de sucre / 1 sachet de sucre vanillé / 1/2 paquet de levure chimique / 150 g. de farine.*
Sirop : *1/2 verre d'eau / 1 cuillerée à soupe de sucre / 1 cuillerée à soupe de kirsch.*
1 sachet de nappage / 50 g. de sucre / 500 g. de fraises / 2 cuillerées de gelée de framboise.

Séparer les blancs d'œufs des jaunes. Battre en mousse les jaunes avec l'eau, le sucre et le sucre vanillé. Ajouter la farine et la levure tamisées. Battre les blancs d'œufs en neige ferme et les incorporer délicatement à la pâte.

Verser dans un moule spécial pour fond de tartes. Mettre cuire à four doux pendant 25 minutes. Démouler en retournant, le fond au-dessus et laisser refroidir.

Laver, équeuter les fraises et les laisser égoutter.

Mettre fondre 1 cuillerée à soupe de sucre dans 1/2 verre d'eau froide, parfumer au kirsch. En arroser le fond de tarte.

Liquéfier la gelée de framboises sur feu très doux en remuant. L'étaler sur le fond de tarte. Puis le garnir de fraises coupées en deux.

Préparer le nappage et le verser chaud sur les fruits.

Mettre la tarte au frais 30 minutes.

Préparation et cuisson : 1 heure 15 minutes.

Pâte : *200 g. de farine / Sel / 125 g. de beurre / 1 œuf / 1 zeste d'1/2 citron / 1/2 à 1 cuillerée à soupe de lait / 50 g. de sucre.*
Garniture : *30 g. d'amandes moulues / 30 g. de sucre / 1 œuf / 15 cl. de crème / 600 g. de fraises / 20 cl. de crème pour la chantilly.*

Mélanger la farine, le sel, le sucre et le zeste de citron.

Ajouter le beurre coupé en petits morceaux et l'œuf battu avec la crème. Travailler le tout pour obtenir une pâte homogène. La laisser reposer 30 minutes.

Abaisser la pâte et en foncer un moule à tarte beurré.

D'autre part mélanger les amandes, le sucre, la crème et l'œuf et verser cette préparation sur la pâte. Faire cuire 25 minutes à four moyen. Laisser refroidir.

Puis couper les fraises en deux et les ranger sur le fond refroidi. Décorer avec la crème chantilly.

Tarte aux framboises

Préparation et cuisson : 45 minutes.

250 g. de pâte sablée / Gelée de groseille ou de framboise / 500 g. de framboises.

Etendre la pâte, la piquer et la faire cuire à blanc.

Badigeonner le fond de tarte refroidi de gelée, y ranger les framboises et les lustrer au pinceau avec de la gelée.

Attendre 30 minutes avant de servir.

Tarte meringuée aux framboises

Préparation et cuisson : 55 minutes.

1 jaune d'œuf + 2 blancs d'œufs / 210 g. de sucre / 125 g. de farine / 60 g. de beurre / 250 g. de framboises.

Travailler le jaune d'œuf avec 60 g. de sucre. Ajouter ensuite toute la farine d'un seul coup et travailler la pâte du bout des doigts pour la rendre sableuse. Pétrir enfin en incorporant le beurre.

Etaler cette pâte au rouleau, en garnir un petit moule à tarte légèrement beurré. Faire cuire vingt minutes à four moyen.

Retirer du four et saupoudrer le fond de sucre. Etaler dessus les framboises crues. Les saupoudrer également de sucre.

Battre les deux blancs d'œufs en neige ferme. Ajouter en pluie 100 g. de sucre en mêlant délicatement.

Recouvrir les framboises de cette meringue et mettre à four doux (thermostat 4) pendant 15 à 20 minutes pour faire colorer légèrement.

La tarte aux fraises. (*Photo J.L. Syren/S.A.E.P.*)

La tarte aux framboises. (*Photo P. Fischer*)

La tarte au fromage. (Photo J.L. Syren)

Tarte au fromage

Préparation et cuisson : 1 heure environ.

250 g. de pâte brisée / 500 g. de fromage blanc / 4 œufs / 3 à 4 cuillerées à soupe de sucre semoule / 1 pincée de sel / 1 cuillerée à café rase de farine / 1 citron / 100 g. de raisins de Corinthe / 1 verre à liqueur de rhum / 25 g. de beurre.

Faire macérer les raisins de Corinthe dans le rhum.
Abaisser la pâte brisée et garnir une tourtière beurrée.
Dans une terrine mettre le fromage blanc, incorporer, en tournant à la spatule, les quatre jaunes d'œufs, la pincée de sel, le sucre et la farine ; y râper le zeste du citron et ajouter les raisins.
Mélanger ces ingrédients et les mêler délicatement aux blancs d'œufs en neige. En couvrir le fond de tarte. Y répandre quelques flocons de beurre. Mettre à four chaud pendant 20 à 30 minutes.

Tarte blanche

Préparation et cuisson : 1 heure 10 minutes.

200 g. de farine / 120 g. de sucre / 5 œufs / 100 g. de beurre / 1/2 paquet de levure chimique / 12 petits suisses / 1 orange / Sel.

Mélanger la farine, le beurre, 40 g. de sucre, 2 œufs, un peu de sel, la levure. Laisser reposer la pâte 20 minutes.
Foncer un moule avec cette pâte et la faire cuire 10 minutes à four très chaud.
Mélanger les petits suisses avec le reste de sucre, le zeste râpé de l'orange bien lavée, 1 jaune d'œuf et délicatement 3 blancs battus en neige. Verser cette préparation sur le fond de tarte mi-cuit et prolonger la cuisson 30 minutes à four moyen.

Tourte au fromage blanc

Préparation et cuisson : 1 heure 10 minutes.

500 g. de pâte brisée / 500 g. de fromage blanc égoutté / 4 œufs / 150 g. de sucre / 50 g. de macarons écrasés.

Travailler le fromage blanc avec les jaunes d'œufs, le sucre et les macarons, ajouter délicatement les blancs battus en neige ferme.
Etendre la pâte. En utiliser la moitié pour foncer un moule à tarte. Y verser la préparation. Humecter le bord de la pâte.
Couvrir avec la seconde partie de pâte. Souder les bords, faire une cheminée au centre avec un petit morceau de bristol roulé. Dorer à l'œuf battu avec 1 cuillerée d'eau.
Faire cuire 45 minutes à four moyen.

Tarte aux fruits de saison

Préparation et cuisson : 1 heure.

200 g. de pâte sablée / Pâte à choux / Fruits au choix / 2 dl. de crème pâtissière / Gelée de groseille ou d'abricot.

Garnir le tour d'un disque de pâte brisée d'un cordon de pâte à choux. Disposer des cordons de pâte à choux pour former des triangles. Les badigeonner au jaune d'œuf et faire cuire 20 minutes.

Remplir chaque compartiment de crème pâtissière et disposer dans chacun des fruits différents. Les lustrer avec la gelée.

Tarte aux fruits d'hiver

Préparation et cuisson : 1 heure.

250 g. de pâte brisée / 500 g. de pommes / 150 g. de figues / 50 g. de raisins secs / 100 g. d'amandes / 1 dl. de rhum / 30 g. de sucre / 2 œufs / 1 jaune d'œuf pour dorer / 12 cerises confites.

Foncer une tourtière avec la pâte, la piquer et la faire cuire à blanc.

Hacher les figues et les faire tremper avec les raisins dans le rhum. Peler, épépiner et émincer les pommes, les ranger sur le fond de tarte. Monder et hacher les amandes, en couvrir les pommes, répartir les figues et les raisins.

Battre les œufs et le sucre et en napper les fruits.

Décorer de croisillons de pâte, badigeonner au jaune d'œuf et ajouter les cerises confites dans les losanges.

Faire cuire 30 minutes à four chaud.

Tarte aux fruits secs

Préparation et cuisson : 1 heure 15 minutes.

300 g. de pâte brisée / 200 g. de figues / 200 g. de raisins / 200 g. de dattes / 15 noix / 15 noisettes / 1 écorce d'orange confite / 50 g. de sucre / 4 œufs / 20 cl. de crème fraîche / 1/2 verre de lait.

Abaisser la pâte et en foncer un moule à tarte beurré et fariné. Piquer le fond avec une fourchette.

Couper les figues, les dattes et l'écorce d'orange en petits dés. Y ajouter les raisins, les noix et noisettes grossièrement coupées. Mélanger le tout et étaler sur la tarte.

Battre les œufs avec le sucre, la crème et le lait et verser sur les fruits. Mettre à four chaud pendant 40 minutes.

Servir tiède ou froid.

La tarte aux fruits secs. (Photo J.L. Syren)

Photo P. Fischer

Tarte aux groseilles

Préparation et cuisson : 1 heure 20 minutes.

Pâte : *150 g. de farine / 1/3 de sachet de levure chimique / 5 cuillerées à soupe rases de sucre / 75 g. de beurre / 1 œuf / 1 pincée de sel.*
Garniture : *500 g. de groseilles / 50 g. d'amandes mondées et moulues / 1 œuf / 4 cuillerées à soupe de lait / 8 cuillerées à soupe de sucre / Sucre glace pour saupoudrer.*

Travailler le beurre et la farine du bout des doigts pour obtenir un sablage, ajouter le sucre, le sel, la levure, l'œuf. Rassembler la pâte pour obtenir une masse homogène. La laisser lever 30 minutes.

Egrapper les groseilles.

Mélanger l'œuf, les amandes, le lait, le sucre et ajouter les groseilles. Etendre la pâte et en garnir une tourtière à hauts bords.

Y verser la préparation aux groseilles.

Faire cuire 40 minutes à four moyen.

Saupoudrer de sucre glace à la sortie du four.

Démouler après léger refroidissement.

Tarte aux griottes

Préparation et cuisson : 1 heure environ.

250 g. de pâte brisée / 1 œuf entier / 20 cl. de crème / 50 g. de sucre semoule / 1 kg. de griottes lavées et équeutées.

Etendre la pâte et foncer un moule. Y ranger les griottes non dénoyautées, bien serrées. Laisser cuire au four chaud pendant 25 minutes environ.

Dans un bol battre l'œuf avec le sucre et ajouter la crème.

Sortir la tarte du four et y verser la crème en la répartissant sur toute la surface. Repasser au four une dizaine de minutes.

Hors saison, au lieu de griottes fraîches on peut prendre des griottes congelées ou des griottes en conserves en les ayant égouttées préalablement.

Tartes aux kiwis

Préparation et cuisson : 55 minutes.

400 g. de pâte sablée / 3 œufs / 1 pot de crème / 100 g. de sucre / Le jus d'un citron / 5 kiwis.

Foncer un moule à tarte avec la pâte et faire cuire 10 minutes à four moyen.

Pendant ce temps, mélanger les œufs, la crème, le sucre et le jus de citron.

Eplucher les kiwis, les couper en rondelles épaisses, les disposer sur le fond de tarte puis couvrir avec la préparation.

Faire cuire au four 30 minutes environ.

Préparation et cuisson : 40 minutes.

250 g. de pâte sablée / 4 kiwis / 3 dl. de crème pâtissière épaisse / 1 cl. de rhum / Un peu de gelée de pommes ou d'abricots.

Garnir un moule à tarte avec la pâte et la faire cuire à blanc.

Parfumer la crème pâtissière avec le rhum et l'étaler sur le fond de tarte.

Eplucher les kiwis, les couper en rondelles et les ranger sur la crème.

Lustrer au pinceau avec la gelée tiédie, mêlée d'une cuillerée d'eau.

Tarte de kiwis à la mangue

Préparation et cuisson : 45 minutes.

250 g. de pâte sablée / 3 kiwis / 2 mangues / 2 dl. de crème pâtissière vanillée / 1 dl. de rhum / Gelée d'abricot.

Mêler le rhum à la crème pâtissière.
Foncer un moule à tarte avec la pâte et la faire cuire à blanc.
Peler les kiwis et les mangues.
Après refroidissement de la pâte, la napper de crème pâtissière, garnir le tour de la tarte de rondelles de kiwis et le centre de quartiers de mangues. Lustrer au pinceau avec de la gelée d'abricot.

On peut remplacer les quartiers de mangue par des « perles » de papaye.

Tarte aux kumquats

Préparation et cuisson : 1 heure.

250 g. de pâte sablée / 400 g. de kumquats / 125 g. de sucre / 2 œufs / 2 dl. de crème / 2 cuillerées de sucre / 1 dl. de curaçao.

Faire un sirop avec 100 g. de sucre et 1 dl. d'eau. Y faire pocher les fruits. Le jus doit complètement réduire.
Foncer un moule à tarte et y ranger les kumquats.
Battre les œufs, la crème, le sucre et l'alcool et en couvrir les fruits.
Faire cuire 30 minutes à four chaud.

Tarte aux marrons

Préparation et cuisson : 1 heure.

400 g. de pâte sablée / 300 g. de purée de marrons / 125 g. de sucre / 3 œufs / 125 g. de crème / 1 verre de rhum / Quelques fruits confits.

Etaler la pâte, en foncer une tourtière et la faire cuire à blanc 10 minutes.
Mélanger la purée de marrons avec le sucre, les jaunes d'œufs, la crème, le rhum, puis les blancs d'œufs battus en neige.
Etendre cette préparation sur le fond de tarte et faire cuire au four 35 minutes.
Laisser refroidir et garnir de fruits confits.

La tarte à la mangue, aux kiwis. (Photo P. Fischer)

Les tartelettes aux marrons. (Photo J.L. Syren)

Tartelettes aux marrons

Préparation et cuisson : 1 heure 30 minutes.

250 g. de pâte sablée.
Crème de marrons* : *500 g. de marrons / 1/2 lit. de lait / 1 sachet de sucre vanillé / 10 cl. de crème.*
1/2 lit. de lait / 100 g. de sucre / 1 sachet de crème pâtissière / 20 cl. de crème pour chantilly / Kirsch / 1 sachet de sucre vanillé.

Faire cuire les marrons épluchés, dans le lait et 1 sachet de sucre vanillé, jusqu'à absorption du liquide. Les passer au moulin à légumes. Ajouter la crème et les passer encore une fois au moulin à légumes.
Préparer la crème pâtissière.
Fouetter la crème. Ajouter le sucre vanillé et le kirsch.
Mélanger en quantité égale la crème de marrons et la crème pâtissière. Incorporer la moitié de la crème chantilly.
Faire cuire les tartelettes (à blanc). Les laisser refroidir.
Les remplir de la préparation précédente et les décorer de crème chantilly.
Servir frais.

* *On peut acheter une boîte de crème de marrons.*

Tarte au melon

Préparation et cuisson : 50 minutes.

250 g. de pâte sablée / 2 petits melons / 200 g. de fraises / 2 œufs / 50 g. de sucre / 1 dl. de rhum / 1 petit morceau d'angélique.

Foncer un moule à tarte avec la pâte et la faire cuire à blanc 20 minutes.
Ouvrir le melon, enlever les graines, en retirer la chair et la réduire en purée. Ajouter le sucre, les jaunes d'œufs battus. Bien mélanger.
Incorporer les blancs d'œufs battus en neige ferme à la préparation précédente.
Verser le tout sur le fond de tarte et faire prendre à four moyen 20 minutes.
Couper un chapeau au deuxième melon, en extraire les graines, puis avec la cuillère à pommes de terre noisette, extraire la chair en forme de perle.
Après refroidissement de la tarte, la décorer avec les perles de melon, les fraises et des feuilles découpées dans l'angélique.

Tarte aux mirabelles au sirop

Préparation et cuisson : 1 heure.

Pâte brisée : *200 g. de farine / 100 g. de beurre / 50 g. de sucre en poudre / 1/2 cuillerée à café de sel fin / 3/4 de verre d'eau.*
Garniture : *1/2 boîte de mirabelles au sirop / 1 cuillerée à soupe de gelée d'abricots / Quelques amandes effilées.*
Crème : *1 verre de lait / 1 jaune d'œuf / 40 g. de sucre / 25 g. de farine / 20 g. de beurre / 1 cuillerée à soupe de liqueur de mirabelles.*

Faire une pâte brisée, la laisser reposer 20 à 25 minutes.

Egoutter les mirabelles au sirop, les dénoyauter.

Dans une casserole émaillée, mélanger le jaune d'œuf avec le sucre, ajouter la farine, le lait tiédi et le beurre.

Cuire à feu doux, en remuant sans cesse avec une cuillère en bois. Laisser refroidir et parfumer avec la liqueur de mirabelles.

Garnir un moule à tarte avec la pâte, la piquer pour éviter qu'elle ne gonfle.

Cuire à four chaud 30 minutes environ.

Retirer la pâte du four, verser la crème, garnir avec les mirabelles. Disposer des amandes effilées.

Napper avec la gelée d'abricots.

Tourte aux mirabelles

Préparation et cuisson : 1 heure 30 minutes.

250 g. de farine / 10 petits suisses / 4 œufs / 200 g. de sucre / 1/2 paquet de levure chimique / 1 petit verre de liqueur de mirabelles / 1 kg. de mirabelles au sirop.

Battre les jaunes d'œufs avec le sucre. Ajouter la liqueur.

Incorporer la farine et la levure, puis les petits suisses un à un en battant légèrement la pâte.

Battre les blancs en neige et les incorporer délicatement à la préparation précédente.

Verser la pâte dans un moule à manqué beurré.

Disposer les mirabelles égouttées sur le dessus de la pâte et faire cuire à four moyen pendant 1 heure.

Photo P. Fischer

Tarte aux mirabelles flambée

Préparation et cuisson : 55 minutes.

250 g. de pâte brisée ou feuilletée / 1 kg. de mirabelles / 50 g. de sucre / Eau-de-vie de mirabelles.

Etendre la pâte et en garnir un moule à tarte.

Dénoyauter les mirabelles sans les déformer et les ranger, trou en bas, sur la pâte.

Faire cuire à four chaud. Après 15 minutes de cuisson, saupoudrer de sucre et prolonger la cuisson 15 minutes.

Au sortir du four, arroser d'eau-de-vie de mirabelles et flamber. Servir aussitôt.

Photo P. Fischer

Tarte aux mûres

Préparation et cuisson : 10 minutes + 40 minutes.

250 g. de pâte brisée sucrée ou 250 g. de farine / 125 g. d'amandes moulues / 125 g. de sucre / 1 œuf / 2 cuillerées à soupe de vin blanc ou de crème / 125 g. de beurre.
1 kg. de mûres bien noires / Sucre à volonté / Crème chantilly.

Faire la pâte assez rapidement ; la laisser reposer 2 heures ; l'abaisser au rouleau à 1/2 cm d'épaisseur et en foncer une toutière.

Couvrir de mûres que l'on évitera, si possible, de laver.

Cuire à four chaud (35 minutes). Après cuisson, saupoudrer abondamment de sucre semoule.

Servir tiède, avec de la crème fouettée sucrée.

Napper les mûres de 2 œufs battus avec 2 cl. de crème.

Tartelettes aux mûres

Préparation et cuisson : 1 heure.

250 g. de pâte sablée / 200 g. de mûres / 4 cuillerées à soupe de sucre.
Crème pâtissière : *1 grand verre de lait / 1 cuillerée à soupe de poudre pour pudding, parfum chantilly / 3 morceaux de sucre.*

Laver les mûres, les laisser égoutter, puis les sucrer.
Foncer des moules avec la pâte, piquer les fonds. Y répartir des haricots secs pour les empêcher de boursoufler.
Mettre cuire à four chaud 20 minutes. Laisser refroidir.
Délayer la farine avec un peu de lait. Porter le reste de lait avec le sucre à ébullition, y verser le mélange farine - lait tout en remuant, pour faire épaissir pendant 1 à 2 minutes en tournant sans cesse.
Verser cette crème sur les fonds de tartelettes. Y piquer les mûres. Laisser rafraîchir 1/2 heure avant de déguster.

On peut aussi chauffer les mûres lorsqu'elles ont été sucrées. Au 1er bouillon enlever du feu. Garnir les tartelettes avec les mûres refroidies.

Tartelettes aux myrtilles

Préparation et cuisson : 35 minutes.

250 g. de pâte brisée / 300 g. de myrtilles / 60 g. de sucre fin.

Foncer des moules à tartelettes de pâte brisée. Piquer le fond.
Répandre dessus les myrtilles. Mettre cuire à four chaud.
Si les fruits ne donnent pas beaucoup de jus, sucrer à mi-cuisson, sinon saupoudrer de sucre à la sortie du four.

Tarte aux nèfles

Préparation et cuisson : 1 heure 15 minutes.

250 g. de pâte sablée / 500 g. de nèfles / 150 g. de sucre / 1 œuf.

Foncer un moule à tarte avec la pâte.
Faire cuire les nèfles dénoyautées (récoltées après les premières gelées) avec un verre d'eau et le sucre. Les réduire en purée.
Répartir cette purée sur la pâte. Garnir le dessus avec des bandelettes de pâte et les badigeonner avec le jaune d'œuf dilué avec une cuillerée d'eau.
Faire cuire 35 minutes à four chaud.

Tourte aux noix

Préparation et cuisson : 1 heure 40 minutes.

Pâte : *300 g. de farine / Sel / 180 g. de beurre / 150 g. de sucre / 1 œuf.*
Garniture : *200 g. de sucre / 200 g. de noix hachées / 25 g. d'amandes effilées / 25 cl. de crème fraîche / 1 cuillerée à soupe de miel.*

Battre l'œuf, le sucre et le sel. Ajouter la farine et le beurre ramolli et pétrir le tout. Après 30 minutes de repos, abaisser les 2/3 de la pâte et en foncer un moule beurré. Piquer le fond avec une fourchette.
Faire caraméliser le sucre sur feu doux. Lorsque le caramel brunit, ajouter les noix, les amandes effilées et la crème. Mélanger le tout et laisser épaissir.
Incorporer le miel. Laisser refroidir et répartir cette préparation sur la pâte. Egaliser et badigeonner le bord de la pâte avec un peu d'eau.
Abaisser le reste de la pâte pour former un couvercle. En recouvrir la tarte et bien souder les bords.
Faire cuire à four moyen pendant 50 à 60 minutes.

Tarte aux noix

Préparation et cuisson : 1 heure 50 minutes.

Pâte brisée : *250 g. de farine / 125 g. de beurre ramolli / 50 g. de sucre en poudre.*
Garniture : *25 cl. de crème double fraîche / 100 g. de sucre en poudre / 100 g. de noix passées à la moulinette, 1 cuillerée à café de cannelle en poudre / 4 cuillerées de sucre glace / 2 cuillerées de kirsch / 12 cerneaux de noix.*

Emietter le beurre et le mélanger à la farine et au sucre en poudre. Pétrir très légèrement du bout des doigts (moins la pâte est travaillée, plus elle est légère).
La laisser reposer au moins 1 heure.
L'étendre au rouleau, garnir un moule.
Dans une terrine, mélanger la crème fraîche avec la poudre de noix, le sucre et la poudre de cannelle. Bien mélanger.
Verser la préparation dans le moule.
Mettre au four. Cuire à four chaud 35 minutes et laisser refroidir.
Mélanger le sucre glace et le kirsch pour obtenir une pâte lisse. En napper la tarte et garnir avec les cerneaux de noix.

Photo R. Fischer

Tarte à la noix de coco et aux bananes

Préparation et cuisson : 30 minutes.

250 g. de pâte feuilletée ou brisée / 1 dl. de lait / 80 g. de noix de coco râpée / 125 g. de sucre / 2 œufs / 2 petits verres de rhum / 60 g. de sucre semoule / 4 à 5 bananes.

Etendre la pâte et en garnir un moule à tarte. Piquer le fond à la fourchette et faire cuire à blanc 15 minutes.

Battre les œufs, leur ajouter la noix de coco, le sucre.

Faire bouillir le lait et l'ajouter peu à peu au mélange en remuant.

Porter à ébullition pour faire épaissir. Hors du feu ajouter 1 verre de rhum.

Verser la préparation légèrement refroidie sur le fond de tarte, garnir de rondelles de bananes et passer 10 minutes à four moyen.

Arroser avec le reste de rhum et flamber.

Tarte aux pignons

Préparation et cuisson : 1 heure 10 minutes.

300 g. de pâte brisée / 20 pruneaux séchés / 20 abricots séchés / 4 cuillerées de confiture d'oranges ou d'abricots / 2 oranges / 250 g. de pignons / 75 g. de beurre / 1 dl. de rhum / 1 jaune d'œuf pour dorer.

Laver, dénoyauter, couper les fruits secs en morceaux et les mettre tremper quelques heures dans le rhum.

Râper le zeste des oranges et l'incorporer au beurre ramolli.

Etendre la pâte et en foncer une tourtière.

Répartir la confiture sur la pâte, puis les fruits trempés, le beurre en petites parcelles, les pignons.

Couper des bandelettes dans le reste de pâte et en décorer la tarte. Les badigeonner au jaune d'œuf ainsi que le bord.

Faire cuire 40 minutes à four moyen.

Tartes à l'orange

Préparation et cuisson : 1 heure 25 minutes.

Pâte : *200 g. de farine / 100 g. de beurre / Sel / 1/2 verre d'eau / 1 cuillerée à soupe de rhum / Zeste râpé d'1/2 orange (non traitée).*
Appareil : *3 œufs / 3 oranges non traitées (jus et zeste) / 100 g. de sucre / 10 cl. de crème fraîche.*

Couper le beurre en petits morceaux et l'effriter avec la farine. Ajouter le sel, le zeste, le rhum et l'eau. Pétrir rapidement la pâte et la laisser reposer 30 minutes.

Battre les œufs entiers avec le sucre, la crème, le jus des oranges et leur zeste finement râpé.

Abaisser la pâte. Garnir un moule à tarte beurré et fariné. Y verser l'appareil et faire cuire 40 minutes à four moyen.

Préparation et cuisson : 55 minutes.

250 g. de pâte brisée / 5 oranges / 40 cl. de lait / 4 jaunes d'œufs / 1 cuillerée à café de sucre vanillé / 1 pincée de sel / 150 g. de sucre / 30 g. de farine / 20 g. de fécule / 1 dl. de curaçao.

Etendre la pâte et en foncer une tourtière. Faire cuire le fond de tarte à blanc 10 minutes.

Faire cuire le lait avec le sucre vanillé et le sel.

Mélanger dans un saladier les jaunes d'œufs, le sucre, la farine et la fécule, verser dessus en remuant, le lait bouillant. Porter à ébullition quelques minutes, puis laisser refroidir. Ajouter le curaçao.

Etendre sur le fond de tarte. Garnir avec les oranges pelées, coupées en rondelles. Saupoudrer de sucre et faire cuire au four 20 à 25 minutes.

Préparation et cuisson : 50 minutes.

200 g. de pâte brisée sucrée / 3 dl. de crème pâtissière / 4 oranges.
Sirop : *50 g. de sucre / 1/2 verre d'eau.*

Garnir une tourtière de pâte et la faire cuire à blanc.

Préparer une crème pâtissière et y ajouter le jus d'une orange.

Faire pocher dans le sirop les oranges lavées et coupées en fines rondelles.

Sur le fond de tarte refroidi, étaler la crème et y disposer les tranches d'oranges confites. Faire réduire leur sirop et en napper les oranges.

Tourte aux grains de pavot

Préparation et cuisson : 1 heure 30 minutes.

350 g. de pâte brisée.
Farce : *1 chopine de graines de pavot / 2 cuillerées à soupe de semoule / 1/2 lit. de lait / 2 œufs / 1 tasse de crème fraîche / 1 pincée de sel / 1 cuillerée de beurre / 1 tasse de sucre semoule.*
1 jaune d'œuf pour dorer.

Faire bouillir le lait et en verser la moitié sur les graines de pavot.

Dans le reste en ébullition, verser la semoule en pluie et la faire cuire.

Passer les graines de pavot ramollies et gonflées par le lait dans la moulinette pour les moudre. Leur ajouter le beurre et le sucre et passer dans une poêle bien chaude pour obtenir une odeur de grillé et de caramélisé.

Mélanger ensuite la purée de pavot, la semoule, les deux œufs, le sel et la crème fraîche pour réaliser une farce homogène.

Foncer un moule beurré avec de la pâte brisée, y répartir la farce.

Découper un couvercle dans le reste de pâte brisée et l'appliquer sur la tarte. Dorer à l'œuf et faire cuire au four pendant 1 heure environ, à température peu élevée.

Tarte aux poires et aux amandes

Préparation et cuisson : 1 heure 10 minutes.

Pâte sablée : *2 œufs / 100 g. de sucre / 250 g. de farine / Sel / 125 g. de beurre.*
Crème aux amandes : *125 g. de beurre / 125 g. de sucre / 2 œufs / 150 g. d'amandes / 30 g. de farine / 1 cuillerée à soupe de rhum / 1 sachet de sucre vanillé.*
2 cuillerées de confiture d'abricots / 4 poires.

Battre le sucre, les œufs entiers et le sel, y ajouter la farine puis le beurre, par petits morceaux. Pétrir rapidement et laisser la pâte reposer.

Foncer avec cette pâte un moule à bords assez élevés. Faire cuire à blanc.

Mélanger intimement le beurre, le sucre en poudre, les œufs, la farine, les amandes et le rhum.

Lorsque la pâte est cuite, y disposer les poires épluchées et coupées en quartiers, les tartiner de confiture et les couvrir de crème aux amandes.

Faire dorer à four chaud.

Tarte Bourdaloue

Préparation et cuisson : 1 heure 10 minutes.

350 g. de pâte brisée / 1 kg. de poires / 1 jus de citron / 4 cuillerées à soupe de sucre.
Crème : *80 g. de sucre / 1 sachet de sucre vanillé / 75 g. de noisettes moulues / 1 cuillerée à soupe de fécule / 30 g. de beurre fondu / 5 cuillerées à soupe de crème épaisse non aigre / 1 œuf + 1 jaune / 1 cuillerée à soupe d'eau-de-vie de poire.*
Pour badigeonner : *100 g. de confiture d'abricots / 1 cuillerée à café de kirsch / 1 cuillerée à soupe d'eau.*

Peler les poires, les couper en deux et en enlever le cœur. Les mettre cuire sans attendre dans 1 lit. d'eau additionnée de jus de citron et de sucre. Egoutter les poires après 2 à 3 minutes de cuisson.

Foncer, avec la pâte, un moule à tarte beurré.

Mélanger tous les éléments de la crème. L'étaler sur la pâte.

Inciser l'arrondi des poires en formant des quadrillages. Les disposer sur la pâte, en cercle, côté bombé dessus. Faire cuire la tarte au four pendant 30 à 40 minutes.

Diluer la confiture d'abricots avec l'eau et le kisrch. Laisser épaissir sur feu doux.

A la sortie du four, badigeonner la garniture de la tarte, de confiture. Laisser refroidir sur une grille.

Tarte aux pommes, au fromage blanc

Préparation et cuisson : 1 heure 15 minutes.

250 g. de pâte brisée ou feuilletée / 4 grosses pommes / 400 g. de fromage blanc / 1 sachet de sucre vanillé / 200 g. de sucre en poudre / 5 œufs.

Faire cuire les pommes lavées et coupées en quartiers avec 100 g. de sucre. Les réduire en compote et laisser refroidir.

Etendre la pâte et en garnir un moule à tarte. Y répartir la compote.

Battre le fromage blanc avec 100 g. de sucre et le sucre vanillé.

Ajouter les jaunes d'œufs battus et délicatement les blancs battus en neige ferme.

Etendre cette préparation sur la compote et faire cuire à four moyen 45 minutes.

Tarte de grand'mère aux pommes

Préparation et cuisson : 1 heure 30 minutes.

Pâte brisée : *200 g. de farine / 100 g. de beurre / 1/2 cuillerée à café de sel fin / 3/4 de verre d'eau / 1 cuillerée à soupe de sucre en poudre.*
Garniture : *1 kg. de pommes / 80 g. de raisins secs / 2 cuillerées à soupe de kirsch / 80 g. de beurre / 200 g. de sucre en poudre / Vanille.*
1 œuf pour dorer.

Faire la pâte brisée, la laisser reposer 15 à 20 minutes.
Pendant ce temps, faire tremper les raisins dans le kirsch 15 minutes environ.
Eplucher les pommes, les émincer.
Faire fondre le beurre dans une sauteuse ; lorsqu'il prend une couleur noisette, y ajouter les pommes et le sucre, parfumer à la vanille, ajouter les raisins macérés.
Cuire à feu moyen en remuant très souvent jusqu'à ce que les pommes caramélisent légèrement.
Laisser refroidir.
Garnir un moule à tarte avec la pâte brisée, verser la compote de pommes, décorer le dessus avec des petites bandes de pâte disposées en croisillons. Les badigeonner, à l'aide d'un pinceau, d'œuf battu.
Cuire à four chaud pendant 30 minutes environ.
Démouler sur une grille, laisser refroidir.

Tarte à la Tatin

Préparation et cuisson : 1 heure.

Pâte brisée : *200 g. de farine / 100 g. de beurre / 1 cuillerée à café de sel / 3/4 de verre d'eau.*
1 kg. de pommes / 100 g. de sucre en poudre.

Faire une pâte brisée. La laisser reposer 15 à 20 minutes.
Prendre une tourtière à fond fixe.
Mettre le sucre avec un peu d'eau, le faire caraméliser. Bien répartir le caramel au fond.
Eplucher les pommes, les vider, les couper en 2 et les disposer dans le moule, la face évidée côté caramel.
Etaler la pâte brisée sur les pommes, la couper sur les bords, de manière à former un couvercle.
Cuire à four chaud 20 à 30 minutes environ.
Sortir du four et retourner aussitôt sur un plat, pour présenter les pommes caramélisées.
Servir tiède.

Tarte aux pruneaux

Préparation et cuisson : 1 heure 10 minutes.

Pâte : *150 g. de farine / 1 œuf / 60 g. de sucre / 100 g. de beurre.*
Crème : *100 g. d'amandes râpées / 125 g. de sucre / 2 œufs / 1 dl. d'alcool de quetsches / 3 g. de sel / 750 g. de pruneaux secs / 1 dl. de thé noir.*

Faire macérer les pruneaux dénoyautés dans le thé et l'eau-de-vie de quetsches la veille.

Le lendemain préparer la pâte, la pétrir à la main ; la laisser reposer 20 minutes.

Foncer un moule à tarte beurré.

Mélanger le sucre, les œufs entiers puis les amandes pour obtenir une crème ; la verser sur le fond de tarte non cuit.

Faire cuire à four moyen 30 minutes. Après cuisson, garnir la tarte avec les pruneaux ayant macérés dans le thé et l'alcool de questches ; servir tiède.

Tarte aux quetsches

Préparation et cuisson : 1 heure.

Pâte : *200 g. de farine / 100 g. de beurre / 1 pincée de sel / 3 cuillerées à soupe de sucre / 1/2 verre d'eau.*
Garniture : *500 g. de quetsches / 50 g. de poudre d'amandes / 2 œufs / 3 cuillerées à soupe de sucre en poudre / 1/2 verre de lait / 1/2 verre de crème / Quelques cuillerées de marmelade de prunes.*

Préparer la pâte, comme une pâte brisée habituelle mais en y ajoutant le sucre. La laisser reposer 15 à 20 minutes environ.

Laver les quetsches, les égoutter, les dénoyauter.

Etaler la pâte et en garnir le moule à tarte. Y disposer les prunes.

Dans un saladier, battre les œufs en omelette, ajouter la poudre d'amandes, le sucre en poudre, la crème et le lait. Bien mélanger.

Verser la préparation sur les prunes.

Cuire à four moyen 30 minutes environ. Laisser refroidir avant de démouler.

Saupoudrer le dessus de sucre cristallisé. Napper de marmelade de prunes.

Photo J.L. Syren

Tourte aux raisins

Préparation et cuisson : 1 heure.

400 g. de pâte sablée / 1 œuf pour badigeonner / 1 kg. de raisins / 150 g. de sucre / 20 cl. de crème / Cannelle / 1 œuf.

Réserver 1/4 de la pâte pour le couvercle. Abaisser le reste et en foncer un moule à manqué beurré.

Y mettre les raisins égrappés. Saupoudrer de cannelle.

Battre l'œuf, la crème et le sucre. Verser cette préparation sur les raisins.

Abaisser le reste de pâte. Y découper un couvercle et le poser dessus. Bien souder les bords avec un jaune d'œuf. Badigeonner également le dessus.

Faire cuire 40 minutes à four chaud.

Photo P. Fischer

Tarte à la rhubarbe

Préparation et cuisson : 1 heure 40 minutes.

250 g. de pâte sablée / 6 bâtons de rhubarbe / 100 g. de sucre.
Flan : *2 œufs / 2 dl. de crème / 50 g. de sucre.*

Eplucher la rhubarbe et la couper en tronçons de 2 cm. La couvrir de sucre et la laisser macérer 1 heure.

Etendre la pâte et la disposer dans un moule à tarte.

Egoutter la rhubarbe, la répartir sur le fond de tarte.

Faire cuire 10 minutes à four chaud.

Battre les œufs, la crème et le sucre et en napper la rhubarbe. Prolonger la cuisson 15 minutes.

Tarte aux raisins

Préparation et cuisson : 45 minutes.

250 g. de pâte feuilletée ou brisée / 300 g. de raisins noirs / 300 g. de raisins blancs / 100 g. environ de sucre.

Ecraser les raisins noirs.

Etendre la pâte et en garnir un moule à tarte. Y répartir la purée de raisins et garnir avec les raisins blancs.

Saupoudrer de sucre et faire cuire à four chaud 30 minutes.

Tarte à la rhubarbe garnie de fraises

Préparation et cuisson : 1 heure 20 minutes.

400 g. de pâte brisée / 600 g. de rhubarbe coupée en petits morceaux / 300 g. de sucre / 1 pot de crème / 2 œufs / 250 g. de fraises.

Garnir un moule à tarte avec la pâte et la faire cuire à blanc 10 minutes.

Faire cuire la rhubarbe avec le sucre en compote. La laisser refroidir. Battre les œufs, ajouter la crème, mélanger avec la compote de rhubarbe.

Garnir un moule avec la pâte et étendre la préparation sur le fond de tarte.

Faire cuire au four 35 minutes. Après refroidissement, garnir avec les fraises fraîches coupées en deux.

Tarte à la crème de rhubarbe

Préparation et cuisson : 1 heure 15 minutes.

300 g. de pâte brisée / 500 g. de rhubarbe / 1 citron / 1/4 lit. de crème pâtissière / 200 g. de sucre / 1 sachet de sucre vanillé / 1 œuf.

Eplucher la rhubarbe, la couper en tronçons d'1 cm et la mettre cuire avec le jus du citron, le sucre et un peu d'eau jusqu'à complète réduction du jus de cuisson.

La mélanger à la crème pâtissière.

Foncer une tourtière avec la pâte et y verser la préparation. Décorer avec des croisillons de pâte et les badigeonner au jaune d'œuf.

Faire cuire 30 minutes à four chaud.

Tarte à la semoule et au safran *

Préparation et cuisson : 1 heure.

Pâte : *250 g. de farine / 125 g. de beurre / 1 œuf / 1 pincée de sel / 2 cuillerées à soupe de sucre / 2 cuillerées à soupe de crème ou un peu d'eau.*
Flan : *1/4 lit. de lait / 3 à 4 cuillerées à soupe de semoule / 1 bonne pincée de sel / 3 œufs / Sucre à volonté / 50 g. de sultanines / 1/4 lit. de crème fraîche / Cannelle en poudre / Safran.*

Travailler l'œuf et le sucre puis ajouter la moitié de la farine ; émietter le beurre, tenir au frais dans la masse, ajouter le reste de la farine puis le sel dissous dans un peu d'eau ou dans la crème fraîche. Pétrir pour obtenir une boule de pâte (laisser reposer 1 à 2 heures). Puis l'abaisser au rouleau (au besoin ajouter un peu de farine). Foncer une tourtière de pâte.

Faire tremper les raisins secs dans un peu d'eau pour les gonfler.

Cuire le lait avec le sucre et le sel, verser la semoule en pluie ; laisser épaissir à petit feu, en remuant ; ajouter la crème fraîche. Bien battre au fouet.

Incorporer les raisins secs. Retirer du feu et ajouter les œufs battus en omelette ; colorer l'appareil avec un peu de safran (selon goût et couleur). Ajouter 1 petite cuillerée à thé rase de cannelle en poudre.

Le mélange obtenu doit être cuit assez longtemps pour être lisse et onctueux.

Etaler la masse de semoule sur le fond de tarte, parsemer de quelques noisettes de beurre (facultatif).

Cuire à four chaud 30 minutes. La tarte doit être bien dorée.

* *Extrait de « Toute la Gastronomie alsacienne », M. Doerflinger et G. Klein.*

Les pâtes

Pâte feuilletée

Préparation : 1 heure 30 minutes.

500 g. de farine / 375 g. de beurre ou de margarine / 10 g. de sel / 1/4 lit. d'eau.

Mélanger la farine, l'eau, le sel. Couper la pâte au couteau pour lui faire perdre son élasticité. La mettre en boule et la laisser reposer 15 minutes.

Sur la planche farinée, étendre le pâton à 1 cm d'épaisseur. Travailler le beurre pour lui donner la consistance de la pâte, le poser au centre. Ramener les bords vers le centre pour enfermer le beurre, et les souder entre eux, en les faisant chevaucher et en humectant légèrement. Veiller à ce que le beurre soit bien enfermé.

Etendre la pâte en un grand rectangle épais de 2 cm, la plier en trois, en rabattant le haut, puis le bas. Tourner de 1/4 de tour et la replier en trois. Ce qui représente deux tours.

Faire encore deux fois deux tours à 20 minutes d'intervalle.

La pâte feuilletée peut être commencée la veille et les deux derniers tours exécutés au moment de s'en servir.

Cuisson sur plaque farinée non graissée.

Pâte feuilletée minute

Préparation : 35 minutes environ.

6 petits suisses / Leur poids de farine / La moitié de leur poids de beurre / Sel.

Sur une planche, verser la farine, placer au centre le beurre, les petits suisses et le sel. Délayer avec une spatule.

Ne pas mettre d'eau.

Lorsqu'une partie de la farine est incorporée au beurre et aux petits suisses, la pétrir avec le bout des doigts et non avec la paume, jusqu'à ce qu'elle soit bien lisse.

Former une boule.

Laisser reposer 15 minutes environ avant l'utilisation.

Pâte au vin blanc

Préparation : 10 minutes.

200 g. de farine / 100 g. de beurre / 1 œuf / 2 cuillerées à soupe de vin blanc / 1 pincée de sel / 3 cuillerées de sucre (dans le cas de tarte aux fruits).

Couper le beurre en petits morceaux et le mélanger à la farine, ajouter le sucre. Réaliser un sablage. Ajouter l'œuf et le vin blanc. Pétrir pour obtenir une pâte homogène.

Laisser reposer 30 minutes.

Pâte brisée

tarte aux pommes

Préparation : 15 minutes.

200 g. de farine / 100 g. de beurre / 1 pincée de sel / 1 verre d'eau.

Mettre la farine sur la planche à pâtisserie, ajouter le sel, émietter le beurre froid en petits morceaux, du bout des doigts farinés pour qu'il n'y colle pas.

Faire un puits, y mettre l'eau et mêler progressivement du bout des doigts pour former une pâte souple. La fraiser 2 ou 3 fois avec la paume de la main.

Laisser reposer 30 minutes avant utilisation.

Pour les tartes aux fruits, ajouter avec le sel 30 g. de sucre fin.

Pâte levée

Préparation : 2 heures.

250 g. de farine / 1 pincée de sel / 2 blancs d'œufs / 10 g. de levure / 60 g. de beurre / 1 petit verre de lait tiède / 40 g. de sucre (pour la pâtisserie).

Dans un bol, mettre 50 g. de farine, y faire un puits, y mettre la levure et la délayer avec une petite partie du lait, puis incorporer à la farine pour former un pâton mollet (le levain). Le mettre couvert d'une serviette dans un endroit tiède pour qu'il double de volume.

Dans une terrine mettre le reste de farine, au centre le sel, le sucre, le lait tiède et le beurre ramolli. Mélanger tous ces ingrédients, ajouter le levain puis les blancs d'œufs et pétrir à la main en soulevant la pâte jusqu'à ce qu'elle fasse des bulles et qu'elle se détache de la terrine.

La mettre à lever pour qu'elle double de volume.

Pâte sablée

Préparation : 15 minutes.

125 g. de farine / 50 g. de beurre / 60 g. de sucre / 3 g. de sel / 2 jaunes d'œufs.

Mélanger la farine et le beurre bien froid en petits morceaux. Frotter légèrement le mélange du bout des doigts farinés pour obtenir un petit sablage. Procéder très vite avec des mains rafraîchies pour que le beurre ne fonde pas. Ajouter le sucre, mélanger.

Rassembler en tas, faire un trou au milieu, y mettre les jaunes d'œufs, les incorporer et pétrir la pâte pour la rendre homogène.

La laisser reposer au frais au moins 1 heure avant l'utilisation.

Préparation : 15 minutes.

250 g. de farine / 125 g. de beurre / 100 g. de sucre / 1 œuf / 2 cuillerées à soupe de crème fraîche / 1 petite pincée de sel.

Mettre la farine en fontaine sur la planche à nouilles, y diviser le beurre en très petites parcelles.

Battre l'œuf et le sucre et les verser au milieu de la farine beurrée, ajouter la crème et bien mélanger.

Laisser reposer la pâte (1 heure), puis l'abaisser et la garnir de fruits au choix.

Préparation : 10 minutes.

200 g. de farine / 90 g. de beurre en miettes / 90 g. de sucre / 1 œuf / 2 cuillerées à soupe de crème fraîche.

Pétrir tous les ingrédients ensemble et laisser la pâte au frais jusqu'au moment de s'en servir.

Pâte à tarte biscuitée

Préparation et cuisson : 40 minutes.

4 œufs / 120 g. de sucre / 120 g. de farine / 1 pincée de levure.

Mélanger les jaunes d'œufs avec le sucre jusqu'à ce que le mélange blanchisse. Y ajouter la farine, la levure et les blancs battus en neige.

Faire cuire à four chaud 10 minutes environ dans un moule à tarte spécial à fond amovible.

Sauce béchamel

Préparation et cuisson : 20 minutes.

30 g. de farine / 30 g. de beurre / 1/3 lit. de lait / Sel, poivre / Eventuellement noix de muscade.

Faire fondre le beurre dans une petite casserole, y ajouter la farine, faire chauffer jusqu'à ce que le mélange mousse. Ajouter, en remuant, le lait froid, continuer à tourner jusqu'à ce que la sauce épaississe. Assaisonner.

Crème pâtissière

Préparation et cuisson : 15 minutes.

2 jaunes d'œufs / 3 dl. de lait / 60 g. de sucre / 15 g. de maïzena ou de fécule / 20 g. de farine / Sel.

Battre les jaunes d'œufs avec le sucre, ajouter la farine et la maïzena, le sel. Délayer peu à peu avec le lait bouillant.

Porter sur le feu et en continuant à remuer, ramener à ébullition. Baisser le feu, laisser frémir quelques minutes sans cesser de remuer, jusqu'à ce que la crème nappe la cuillère.

Retirer du feu.

Blancs d'œufs en neige
(meringage ou autre utilisation)

Battre les blancs d'œufs en neige en un endroit frais d'abord lentement, puis plus rapidement.

Les blancs d'œufs montent plus vite si l'on ajoute dès le début du travail une pincée de sel fin ou quelques gouttes de jus de citron.

La neige est ferme si on peut la retourner facilement et si elle se détache des parois du récipient ; sa blancheur est tributaire de la fraîcheur des œufs.

Si les blancs d'œufs deviennent grumeleux, ajouter de suite 1/2 cuillerée à café de sucre en poudre par œuf.

TABLE DES RECETTES

Pages